ÉCRITS

SOURCES CHRÉTIENNES

N° 325

CLAIRE D'ASSISE

ÉCRITS

INTRODUCTION, TEXTE LATIN, TRADUCTION
NOTES ET INDEX

Par

Marie-France BECKER
sœur pauvre

Jean-François GODET
frère mineur

Thaddée MATURA
frère mineur

LES ÉDITIONS DU CERF
29, BD DE LATOUR-MAUBOURG, PARIS 7e
1985

*La publication de cet ouvrage a été préparée avec le concours
de l'Institut des Sources Chrétiennes
(U.A. 993 du Centre National de la Recherche Scientifique)*

TABLE DES ABRÉVIATIONS

François d'Assise, *Écrits*:

1 Reg	*Regula non bullata*
2 Reg	*Regula bullata*
Test	Testament
FVie	Forme de vie
DVol	Dernière volonté
2 LFid	Lettre aux fidèles II
BLéon	Bénédiction à fr. Léon
ExhPD	Exhortation aux Pauvres Dames

Claire d'Assise, *Écrits*:

1 LAg	1re lettre à Agnès de Prague
2 LAg	2e lettre à Agnès de Prague
3 LAg	3e lettre à Agnès de Prague
4 LAg	4e lettre à Agnès de Prague
RegCl	Règle
TestCl	Testament
BCl	Bénédiction
LEr	Lettre à Ermentrude de Bruges
1 PrivP	Privilège de la Pauvreté (1216)
2 PrivP	Priviiège de la Pauvreté (1228)

Manuscrits :

M	Messina, Monastère des Clarisses, Cod. s.s.
Ma	Madrid, Archivo Histórico Nacional, Cod. 1258
Up	Uppsala, Bibliothèque de l'Université, Cod. C 63
Ur	Urbino, Monastère des Clarisses, Cod. s.s.
Wa	WADDING, *Annales Minorum*, ad annum 1253, V.

Divers :

Reg.Ben.	Règle de saint Benoît
Reg.Hug.	Règle d'Hugolin
Reg.Inn.	Règle d'Innocent IV

INTRODUCTION

PREMIÈRE PARTIE

ASPECT HISTORIQUE ET CRITIQUE DES ÉCRITS DE CLAIRE

Le nom de la cité d'Assise évoque sans nul doute celui de son plus illustre citoyen, saint François (1181-1226). Mais ce dernier ne saurait être séparé d'une autre Assisiate qui fut sa sœur et son amie, sainte Claire. Ils partagèrent le même désir de suivre radicalement Jésus-Christ et de vivre selon le saint évangile. Ils donnèrent naissance à la grande famille franciscaine.

L'histoire fit de François un personnage plus célèbre que Claire. Si cette célébrité prit souvent des allures merveilleuses et même légendaires, nous disposons cependant de bonnes sources et de bonnes études pour approcher le Petit Pauvre. Ses biographies ne manquent pas et ses écrits sont aujourd'hui bien connus[1]. Il est loin d'en aller de même pour Claire : peu nombreuses sont les sources conservées, peu nombreuses aussi les études publiées. Claire n'a jamais fait l'objet de recherches aussi globales et systématiques que François : recherches de manuscrits, éditions critiques, études historiques, une telle affirmation ne réduisant en rien la valeur des travaux publiés.

---

1. Voir la collection des sources primitives en traduction française dans *Saint François d'Assise. Documents,* publiés par T. DESBONNETS et D. VORREUX, o.f.m., Paris 1981[2]. Pour les écrits de François, voir FRANÇOIS D'ASSISE, *Écrits (Sources Chrétiennes,* 285), Paris 1981.

Ces dernières années, un regain d'intérêt pour Claire semble se manifester[2]. Nous voudrions apporter notre contribution, scientifique et aimante, à la redécouverte de cette femme qui fut une grande figure, en présentant ici les quelques écrits qu'elle nous a laissés.

ÉLÉMENTS BIOGRAPHIQUES

Claire naquit à Assise en 1193. Elle était la fille de Favarone di Offreduccio di Bernardino et d'Ortolana, qui appartenaient à la noblesse assisiate. Elle devait avoir seize ou dix-sept ans quand elle fut touchée par la conversion et le nouveau mode de vie d'un de ses concitoyens, fils de marchand, Francesco di Pietro di Bernardone, celui que l'histoire allait retenir sous le nom de François d'Assise. Claire parvint à rencontrer François plusieurs fois ; une amitié naquit. Après quelque temps, Claire se décida à embrasser la même vie que François, à vivre selon le saint évangile de notre Seigneur Jésus-Christ. Son projet ne reçut pas l'assentiment de sa famille, mais bien la bénédiction de l'évêque d'Assise, Guido, à qui François se confiait volontiers. Le soir du dimanche des Rameaux de l'an 1212, Claire quitta secrètement la maison paternelle et rejoignit à la Portioncule, dans la plaine au-dessous d'Assise, François et ses frères. François revêtit Claire d'un pauvre habit semblable au sien et lui coupa les cheveux : désormais elle appartenait à Dieu. Claire séjourna alors une quinzaine de jours chez les Bénédictines du monastère de Saint-Paul à Bastia, non loin d'Assise. Puis elle

---

2. On trouvera un excellent état de la question dans E. GRAU, « Die Schriften der heiligen Klara und die Werke ihrer Biographen », dans *Movimento religioso femminile e francescanesimo nel secolo XIII*, Assise 1980, p. 195-238. Tout le volume, qui constitue les actes d'un congrès de la Société Internationale d'Études Franciscaines, est digne du plus grand intérêt. On trouvera un inventaire des dernières publications concernant la vie et les écrits de Claire dans *Bibliographia Franciscana* 14 (1974-1980), p. 655-661.

fut l'hôte du monastère de Sant'Angelo in Panzo, sur les pentes du mont Subasio qui domine Assise. C'est là que la rejoignit sa sœur Agnès : l'Ordre des Sœurs Pauvres — plus connues sans doute aujourd'hui sous le nom de Clarisses — commençait. François ne tarda pas à installer ses sœurs dans la petite église de Saint-Damien, dépendant de l'évêque d'Assise et qu'il avait restaurée de ses mains. Il donna à Claire et à ses sœurs qui continuaient d'arriver une petite Forme de Vie où l'accent était mis sur la pauvreté évangélique et l'appartenance des frères et des sœurs à une même famille[3].

En 1215, suite à la décision du Concile de Latran IV de ne plus autoriser de nouvelles règles de vie religieuse, Claire dut adopter la Règle de saint Benoît ; il fallut toute la persuasion de François pour qu'elle accepte de porter le titre d'abbesse. Elle demanda et obtint du pape Innocent III un privilège : celui de la pauvreté[4], qui garantissait aux Sœurs Pauvres de Saint-Damien le droit de vivre sans propriétés ni revenus.

Le nombre de monastères adoptant le mode de vie de Saint-Damien s'accrut, et le pape Honorius III désigna bientôt son légat en Toscane, le cardinal Hugolin, comme protecteur des nouvelles communautés. Celui-ci fit exempter les Sœurs de la juridiction épiscopale, leur imposa à toutes comme base

---

3. Cf. *RegCl* 6, 3-4 (= *FVie*).

4. On a longtemps douté de l'authenticité de ce *Privilège de la pauvreté* accordé par Innocent III, à cause de l'absence de tradition manuscrite. L'unique texte connu était celui des *Firmamenta Trium Ordinum*, recueil franciscain imprimé à Paris en 1512 (pars V, fol. 5[r]). Z. Lazzeri, P. Sabatier et E. Grau, au terme d'études qui restent fondamentales, conclurent à l'authenticité du texte des *Firmamenta*. Cf. Z. LAZZERI, « Il "Privilegium paupertatis" concesso da Innocenzo III e che cosa fosse in origine », dans *Archivum Franciscanum Historicum* 11 (1918), p. 270-276 ; P. SABATIER, « Le Privilège de la pauvreté », dans *Revue d'Histoire Franciscaine* 1 (1924), p. 1-54 ; E. GRAU, « Das Privilegium paupertatis Innocenz' III », dans *Franziskanische Studien* 31 (1949), p. 337-349 ; E. GRAU, « Das Privilegium paupertatis der hl. Klara. Geschichte und Bedeutung », dans *Wissenschaft und Weisheit* 38 (1975), p. 17-25. Aujourd'hui, trois manuscrits anciens retrouvés permettent de confirmer leurs conclusions et d'éditer un texte qu'on trouvera en appendice du présent ouvrage, p. 196-199.

juridique la Règle de saint Benoît et composa, en 1218-1219, *une Forme et un Mode de Vie* consistant en observances très strictes en matière de clôture, de silence, de jeûne et de mortification. La *Règle d'Hugolin* fut approuvée par Honorius III en 1219[5] ; ni Claire ni François ne prirent part à sa rédaction.

La *Reg.Hug.* ne faisait mention ni de la vie en très haute pauvreté ni de l'appartenance à la famille fondée par François. Quelques années plus tard, quand le cardinal Hugolin sera devenu le pape Grégoire IX, Claire obtiendra de lui la confirmation du *Privilège de la pauvreté* pour le monastère de Saint-Damien[6]. Mais la *Reg.Hug.*, elle aussi, sera confirmée et restera la règle en vigueur pour les Sœurs Pauvres[7].

En 1224, l'année où François fut marqué des stigmates de la Passion du Christ, Claire contracta une maladie qui ne devait jamais la quitter jusqu'à sa mort.

L'année suivante, en 1225, François, malade, séjourne à Saint-Damien et y compose son *Cantique de Frère Soleil*.

François meurt à la Portioncule le 3 octobre 1226. Claire verra encore son corps, porté à Saint-Damien avant d'être enseveli dans l'église Saint-Georges à Assise, là où se dresse aujourd'hui la basilique Sainte-Claire. C'est vraisemblablement vers cette époque qu'Ortolana, la mère de Claire, rejoignit la communauté de Saint-Damien[8]. En 1229, ce sera le tour de Béatrice, la plus jeune sœur de Claire[9].

---

5. On trouvera le texte de la *Reg.Hug.* dans I. OMAECHEVARRÍA, *Escritos de Santa Clara y Documentos complementarios,* Madrid 1982², p. 214-229.

6. La bulle originale *Sicut manifestum est,* du 17 septembre 1228, est conservée à Assise, au Protomonastère Sainte-Claire. On en trouvera le texte en appendice du présent ouvrage, p. 200-201.

7. La *Reg.Hug.* fut confirmée une première fois par Grégoire IX avec la bulle *Cum omnis vera* du 24 mai 1239 (*Bullarium Franciscanum* I, p. 263-267) et une deuxième fois par Innocent IV avec la bulle *Solet annuere* du 13 novembre 1245 (*Bullarium Franciscanum* I, p. 394-399).

8. Déduction possible d'un témoignage au procès de canonisation de Claire : cf. Z. LAZZERI, « Il processo di canonizzazione di S. Chiara d'Assisi », dans *Archivum Franciscanum Historicum* 13 (1920), p. 403-507 (traduction française dans *J'ai connu Madame sainte Claire,* Paris 1961). Le témoignage en question ici est le Sixième, au n° 12.

En 1234, Claire entrera en relations épistolaires avec Agnès de Prague, fille du roi de Bohême, qui fonda un monastère à Prague, puis y entra. Une grande amitié naquit entre les deux femmes qui jamais ne se virent, mais correspondirent jusqu'à la mort de Claire.

En septembre 1240, Claire écarte les Sarrasins d'Assise. En 1241, sa prière libère la cité des menaces que faisaient peser Vitale d'Aversa et les troupes impériales.

Le 6 août 1247, le pape Innocent IV promulgue une nouvelle règle pour les Sœurs Pauvres [10]. La *Reg.Inn.* place les Sœurs Pauvres sous la juridiction des Frères Mineurs et remplace, comme base juridique, la Règle de saint Benoît par la *Règle du bienheureux François*. Mais elle n'intègre pas le contenu du *Privilège de la pauvreté*. Aussi Claire commence-t-elle à rédiger sa propre règle, prenant pour base la *Règle des Frères Mineurs* et utilisant les *Reg.Hug.* et *Reg.Inn.* Le texte de Claire sera approuvé officiellement le 16 septembre 1252 par le cardinal protecteur, Raynald, et le 9 août 1253 par le pape lui-même, Innocent IV.

Claire, dont la maladie s'était aggravée en novembre 1250, meurt le 11 août 1253, tenant en mains la bulle d'approbation de sa *Règle*. Son corps sera inhumé dans l'église Saint-Georges. Le cardinal Raynald, devenu en 1254 le pape Alexandre IV, canonise Claire en la cathédrale d'Anagni, le 15 août 1255 [11].

---

9. Béatrice nous l'apprend elle-même par sa déposition au procès de canonisation de Claire (cf. *supra*): Douzième témoignage, n° 7.

10. Bulle *Cum omnis vera*, dans *Bullarium Franciscanum* I, p. 476-483. Le texte de la *Reg.Inn.* se trouve aussi dans I. OMAECHE-VARRÍA, *Escritos de Santa Clara y Documentos complementarios*, Madrid 1982², p. 237-259.

11. Pour la vie de Claire, on consultera: M. FASSBINDER, *Die heilige Klara von Assisi*, Fribourg-en-Brisgau 1934; A.-M. BÉREL, *Claire d'Assise*, Paris 1960; F. CASOLINI, art. «Sainte Claire et les Clarisses», dans *Dictionnaire de Spiritualité* 5 (1964), col. 1401-1422.
On trouvera la collection des sources primitives en traduction française dans *Sainte Claire d'Assise. Documents,* publiés par D. VORREUX, Paris 1983.
Pour l'histoire de la législation du 2ᵉ Ordre franciscain, voir L. OLIGER, «De origine Regularum Ordinis S. Clarae», dans *Archivum Franciscanum Historicum* 5 (1912), p. 181-209 et 413-447; I.

LES ÉDITIONS DES ÉCRITS DE CLAIRE

Le nombre des écrits de Claire conservés est très réduit, non parce que Claire aurait peu écrit, mais parce qu'on s'est trop peu attaché à la conservation de ses écrits, par méconnaissance ou par manque d'intérêt. On n'a pas retrouvé, comme pour les écrits de François, de collections manuscrites. Les manuscrits sont même très peu nombreux ; nous y reviendrons dans la présentation détaillée des écrits conservés.

Pourtant nous savons que la correspondance de Claire fut assez importante. Si François a écrit à Claire, il est vraisemblable qu'elle lui ait écrit également, mais nous n'avons conservé aucune trace de cette hypothétique correspondance. Il en va de même pour la correspondance entre Claire et le cardinal Hugolin : deux lettres que celui-ci écrivit à Claire ont été conservées, mais nous n'avons aucune lettre de Claire. Même chose encore pour la correspondance entre Claire et sa sœur Agnès : nous avons conservé une lettre d'Agnès, mais aucune de Claire.

Ce que nous avons conservé des écrits de Claire est donc

OMAECHEVARRÍA, « La " Regla " y las Reglas de la Orden de Santa Clara », dans *Collectanea Franciscana* 46 (1976), p. 93-119.

La *RegCl* fut approuvée par Innocent IV pour le monastère de Saint-Damien et n'était donc pas obligatoire pour les autres monastères. Après la mort de Claire, la bienheureuse Isabelle de France, sœur de saint Louis, obtint l'approbation de la Règle du monastère de Longchamp, qu'elle avait fondé et où elle était entrée. Approuvée pour le monastère de Longchamp par Alexandre IV avec la bulle *Sol ille verus*, du 2 février 1259 (*Bullarium Franciscanum* II, p. 64-68), la Règle d'Isabelle de France fut corrigée et approuvée pour d'autres monastères par Urbain IV avec la bulle *Religionis augmentum*, du 27 juillet 1263 (*Bullarium Franciscanum* II, p. 477-486). Quelques mois plus tard, désireux d'unifier tous les monastères du 2ᵉ Ordre franciscain, Urbain IV fit rédiger une règle par le Cardinal Gaétan Orsini, protecteur de l'Ordre et le futur pape Nicolas III. Cette Règle d'Urbain IV fut promulguée pour tous les monastères de l'*Ordre de sainte Claire* (première mention officielle de cette dénomination) par la bulle *Beata Clara*, du 18 octobre 1263 (*Bullarium Franciscanum* II, p. 509-521).

assez vite répertorié : cinq lettres, la Règle, un testament et une bénédiction. Si chacun de ces écrits fut l'objet de publications isolées, il fallut attendre l'année 1970 pour les voir paraître pour la première fois ensemble dans leur langue originale, dans un recueil des sources concernant Claire, destiné au monde de langue espagnole [12]. Cela se reproduira quelques années plus tard avec une publication jumelée des écrits de François et de Claire [13].

En traduction française, les écrits de Claire ont été publiés ensemble en 1953 [14]. Mais il existait des traductions séparées des différents écrits de Claire, publiées au sein ou en appendice de volumes qui lui étaient consacrés [15].

Le présent ouvrage publie pour la première fois l'ensemble des écrits de Claire dans leur langue originale accompagnés d'une traduction française. Le texte fourni ici veut répondre aux exigences de la critique, dans la limite des documents actuellement disponibles.

12. I. OMAECHEVARRÍA, *Escritos de Santa Clara y Documentos contemporaneos,* Madrid 1970.

13. G. BOCCALI, *Textus opusculorum S. Francisci et S. Clarae Assisiensium,* Assise 1976.

14. D. VORREUX, *Sainte Claire d'Assise. Sa vie par Thomas de Celano. Ses écrits,* Paris 1953.

15. P. EXUPÈRE, *L'Esprit de sainte Claire,* Paris-Tournai s.d. [1912], p. 191-204 : les quatre Lettres à Agnès de Prague ; M. BEAUFRETON, *Sainte Claire d'Assise,* Paris 1916, p. 136-159 : les quatre Lettres à Agnès de Prague ; M. HAVARD DE LA MONTAGNE, *Vie de sainte Claire de Thomas de Celano,* Paris 1917, p. 114-127 : la Règle et le Testament ; L. DE CHÉRANCÉ, *Sainte Claire d'Assise,* Paris-Gembloux 1932, p. 173-191 : les quatre Lettres à Agnès de Prague et la Lettre à Ermentrude de Bruges ; É. SCHNEIDER, *Sainte Claire d'Assise,* Paris 1959, p. 176-210 : des extraits des Lettres à Agnès de Prague, la Lettre à Ermentrude de Bruges, la Règle et le Testament ; Claire d'Assise, *Lettres et Testament,* traduits par P. Harang, Assise 1982.

PRÉSENTATION DÉTAILLÉE
DES ÉCRITS DE CLAIRE

1. Les quatre lettres à Agnès de Prague

Claire a eu une correspondance épistolaire avec la bienheureuse Agnès de Prague, comme l'atteste la *Vita Agnetis* écrite
entre 1283 et 1322[16]. Nous n'avons conservé aucune lettre
d'Agnès. Par contre, nous avons conservé quatre lettres de
Claire. Sans doute y en eut-il davantage, car il est peu
vraisemblable que Claire n'ait envoyé que quatre lettres à
Agnès en vingt ans qu'a duré leur amitié.

On a longtemps douté de l'authenticité de ces quatre
lettres, par manque d'une tradition manuscrite bien établie.
En effet, jusqu'au début de ce siècle, on n'en connaissait que
la version bohémienne de J. Plachy, imprimée à Prague en
1566[17], et le texte latin des *Acta Sanctorum* publié en 1668[18].
On connaissait également le texte latin de la première lettre
par un manuscrit de la *Chronica XXIV Generalium Minis-
trorum Ordinis Fratrum Minorum*, copie effectuée en 1491 par
Nicolas Glassberger[19].

En 1915, W. Seton publia une version en moyen allemand
des quatre lettres d'après un manuscrit du XIVe siècle
conservé à Bamberg[20]. Un examen attentif de ces textes

16. J.K. VYSKOČIL, *Legenda Blahoslavené Anežky a čtyri listy Sv.
Kláry,* Prague 1932, p. 108.
17. J. PLACHY, *Živ̇ot bl. Anyžky,* W Praze v Vrbana Goliásse
1666.
18. *Acta Sanctorum,* Martii I, Antwerpen 1668, p. 506-508.
19. Manuscrit conservé au couvent des Frères Mineurs de Hall, en
Autriche, et décrit dans *Analecta Franciscana* III, Quaracchi 1897,
p. XVI.
20. W. SETON, *Some new Sources for the Life of Blessed Agnes of
Bohemia* (*British Society of Franciscan Studies,* 7), Aberdeen 1915,
p. 51-55 et 151-164. Seton découvrit encore par la suite quatre autres
manuscrits contenant la même version : cf. W. SETON, « The Letters
from Saint Clare to Blessed Agnes of Bohemia », dans *Archivum
Franciscanum Historicum* 17 (1924), p. 509-519. L. Oliger découvrit à
son tour un sixième manuscrit : cf. L. OLIGER, « Gaudia S. Clarae
Assisiensis, seu Vita eius versificata », dans *Archivum Franciscanum
Historicum* 12 (1919), p. 113.

l'amena à conclure que le texte allemand n'était pas la traduction du texte latin publié dans les *Acta Sanctorum,* que celui-ci était une retraduction latine du texte allemand et qu'il fallait donc retrouver le texte latin qui avait servi de base à la traduction allemande.

Ce texte latin avait, en fait, déjà été retrouvé quelques années auparavant par le préfet de la Bibliothèque Ambrosienne de Milan, Achille Ratti, le futur pape Pie XI [21]. Il était conservé dans le codex M-10 de la Bibliothèque du Chapitre de Saint-Ambroise à Milan. Seton publia le texte latin des *Lettres* pour la première fois en 1924, d'après le manuscrit de Milan [22].

En 1932, J.K. Vyskočil procura une édition critique définitive des quatre lettres à Agnès de Prague, dans le cadre de son édition de la *Vita beatae Agnetis* [23]. Il établit que le manuscrit de Milan fut copié à Prague entre le 18 janvier 1283 et le 8 novembre 1322, assurant ainsi l'authenticité des *Lettres.* Il s'agissait sans doute d'une copie qui devait être jointe à la *Vita* et envoyée à Rome en vue de promouvoir la canonisation d'Agnès.

Les *Lettres* ont donc pour destinataire Agnès, fille du roi Ottokar Ier de Bohême (1197-1230) et de la reine Constance de Hongrie. Par sa mère, Agnès était la cousine d'Élisabeth de Hongrie (1207-1231), autre grande figure de la famille franciscaine. Née en 1205, elle fut fiancée à l'âge de trois ans à Boleslas de Silésie († 1211), puis en 1213 au fils de l'empereur Frédéric II, Henri, âgé alors de deux ans. Les fiançailles ayant été rompues en 1225, Agnès fut demandée en mariage en 1227 par le roi Henri III d'Angleterre, puis en 1228 par Frédéric II lui-même qui réitéra sa demande en 1233. Mais le dessein d'Agnès était différent. Après l'arrivée des Frères Mineurs à Prague en 1232, Agnès leur construisit une

21. A. RATTI, « Un codice pragense a Milano con testo inedito della vita di S. Agnese di Praga », dans *Rendiconti dell'Istituto Lombardo di Scienze e Lettere,* ser. II, 29 (1896), p. 392-396.

22. W. SETON, « The Letters from Saint Clare to Blessed Agnes of Bohemia », dans *Archivum Franciscanum Historicum* 17 (1924), p. 509-519.

23. J.K. VYSKOČIL, *Legenda Blahoslavené Anežky a čtyri listy Sv. Kláry,* Prague 1932.

église. Puis elle fonda un hôpital auquel elle adjoignit en 1233
le monastère du Saint-Sauveur, où elle entra à la Pentecôte
1234, le 11 juin. Dès 1233, elle obtint du pape Grégoire IX
l'envoi de quelques Sœurs Pauvres du monastère de Trente
pour soutenir sa fondation. Le propos d'Agnès était en effet
de vivre comme Claire vivait avec ses sœurs à Saint-Damien.
Elle mourut en 1282 et fut béatifiée par Pie IX en 1874[24].

La datation des *Lettres* n'emporte pas l'unanimité des
chercheurs. Pour notre part, nous nous rallions à l'opinion
d'E. Grau[25]. La première lettre fut écrite avant la Pentecôte
(11 juin) 1234, c'est-à-dire avant l'entrée d'Agnès au monastère : Claire l'appelle seulement «fille du roi de Bohême»
et la vouvoie. La deuxième lettre fut écrite entre 1234 et 1238,
durant le généralat d'Élie d'Assise (1232-1239). La troisième
lettre date du début de l'année 1238, quand Agnès sollicita de
Grégoire IX une nouvelle règle, plus proche de la vie menée à
Saint-Damien, ce que le Pape refusa[26]. La quatrième lettre,
enfin, date de 1253 : elle fut écrite par Claire après le retour à
Saint-Damien de sa sœur Agnès (début 1253) et avant sa
propre mort (11 août).

2. La lettre à Ermentrude de Bruges

Dans le supplément aux *Annales Minorum* de Wadding, à

24. Pour la vie d'Agnès de Prague, voir M. FASSBINDER, *Die selige
Agnes von Prag. Eine königliche Klarisse*, Werl (Westphalie) 1957,
trad. franç. : *Agnès de Bohême*, Paris 1962 ; W. SETON, «Some new
Sources for the Life of Blessed Agnes of Prague including some
chronological notes and a new text of the Benediction of St. Clare»,
dans *Archivum Franciscanum Historicum* 7 (1914), p. 185-197 ;
K. WENK, «Hat sich Friedrich II. um die Hand der seligen Agnes von
Prague beworben?», dans *Archivum Franciscanum Historicum* 15
(1922), p. 203-207. La plus récente monographie est celle de J.
NEMEC, «Per una conoscenza delle principali memorie legate al culto
della Beata Agnese di Praga», dans *Forma Sororum* 20 (1983), p.
1-44 ; on trouvera une bonne bibliographie aux p. 41-42.

25. E. GRAU, «Die Schriften der heiligen Klara und die Werke
ihrer Biographen», dans *Movimento religioso femminile e francescanesimo nel secolo XIII*, Assise 1980, p. 201-202.

26. Bulle *Angelis gaudium* du 11 mai 1238, dans *Bullarium Franciscanum* I, p. 242-244.

l'année 1257, Melissano de Macro signale que Claire écrivit deux lettres à une certaine Ermentrude[27].

D'Ermentrude, on sait qu'elle était la fille du bailli de Cologne et qu'en 1240 elle quitta sa patrie pour entreprendre un grand pèlerinage. Elle arriva à Bruges où elle se fixa et vécut une douzaine d'années dans un petit ermitage. Ayant entendu parler de Claire, elle entreprit un nouveau pèlerinage, à Assise et à Rome cette fois, mais ne put rencontrer Claire qui était déjà morte quand elle vint à Assise. De retour à Bruges, Ermentrude transforma son ermitage en monastère de Sœurs Pauvres, puis fonda d'autres monastères dans toute la Flandre[28].

Nous n'avons pas conservé ces deux lettres de Claire. Les *Annales Minorum* présentent un texte qui apparaît clairement ne pas être un original, mais le condensé des deux lettres dont il est question. Comme tel, ce texte ne peut être retenu comme écrit de Claire. Toutefois, comme le contenu en est proche de celui des lettres à Agnès de Prague, nous avons jugé utile de reproduire en appendice cette *Lettre à Ermentrude de Bruges*.

3. La Règle

Nous avons vu plus haut que Claire a dû lutter toute sa vie pour obtenir une législation qui exprime adéquatement la forme de vie qu'elle avait choisie. Elle en vint finalement à rédiger elle-même sa propre *Règle* entre 1247 et 1252. Le Concile de Latran IV (1215) interdisant l'approbation de nouvelles règles, Claire prit pour base la Règle de François, approuvée par la bulle *Solet annuere* du 29 novembre 1223, et utilisa aussi les règles d'Hugolin (1219) et d'Innocent IV

---

27. L. WADDING, *Annales Minorum,* ad ann. 1257, suppl. n° 20, Quaracchi 1931, p. 90-91.

28. A propos d'Ermentrude de Bruges, on consultera : D. DE KOK, « De Origine Ordinis S. Clarae in Flandria », dans *Archivum Franciscanum Historicum* 7 (1914), p. 234-246 ; H. DE HOOGLEDE, « Ermentrude et les origines des Clarisses en Belgique », dans *Neerlandica Franciscana* 2 (1919), p. 67-84 ; A. HEYSSE, « Origo et progressus Ordinis Sanctae Clarae in Flandria », dans *Archivum Franciscanum Historicum* 37 (1944), p. 165-201.

(1247). Son texte fut approuvé par une autre bulle, *Solet annuere,* datée cette fois du 9 août 1253.

La bulle originale d'approbation d'Innocent IV est encore aujourd'hui conservée à Assise, au Protomonastère Sainte-Claire. On en avait toutefois perdu la trace depuis plusieurs siècles. Elle ne fut retrouvée qu'en 1893, cachée dans les plis d'un vêtement ayant appartenu à Claire et conservé au Protomonastère d'Assise [29].

Dans la partie supérieure du parchemin, Innocent IV a écrit de sa main : *Ad instar fiat S.* «Qu'on fasse comme cela S.» En dessous la même main a écrit : *Ex causis manifestis michi et protectori mon[asterii] fiat ad instar.* «Pour des raisons manifestes à moi et au protecteur du monastère, qu'on fasse comme cela [30].»

La première phrase est une formule d'assentiment que le pape apposait sur les requêtes rédactionnelles qui lui étaient présentées par la chancellerie papale et auxquelles il souscrivait. Et *S* représente la signature du Pape, qui employait dans ces cas la première lettre de son nom de baptême, c'est-à-dire pour Innocent IV : Sinibaldus [31].

Habituellement la chancellerie papale, après avoir obtenu cet accord du pape, reprenait la requête et composait le document définitif où le nom du pape, écrit en majuscules et en première position, et le sceau suffisaient à authentifier l'écrit. Dans le cas de la *RegCl,* nous pouvons donc dire que la procédure suivie ne fut pas la procédure habituelle, puisque la bulle et la requête ne font qu'un seul et même document. Sans doute n'y eut-il pas de requête écrite, mais seulement une requête formulée oralement par Claire, lorsque Innocent IV lui rendit visite au début du mois d'août 1253. De retour à sa résidence, le Pape fit ensuite rédiger la bulle et ajouta de sa main les mots *Ad instar fiat S,* pour assurer la valeur juridique du document ; et pour expliquer la procédure administrative inhabituelle, il ajouta encore : *Ex causis manifestis michi et protectori,* etc. La date de rédaction est le

29. Cf. *Seraphicae Legislationis Textus Originales,* Quaracchi 1897, p. 2-3 ; texte de la *RegCl* : p. 49-76.

30. Cf. L. OLIGER, «De origine Regularum Ordinis S. Clarae», dans *Archivum Franciscanum Historicum* 5 (1912), p. 429.

31. Sinibaldo Fieschi, de Gênes, élu pape le 25 juin 1243.

9 août 1253 et la bulle parvint à Claire le 10, apportée par un Frère Mineur venant du couvent Saint-François, où le Pape avait sa résidence [32]. Il semble bien que le temps pressait : Claire était mourante.

Dans la marge de la bulle, une autre main a écrit : *Hanc beata Clara tetigit et obsculata* (!) *est pro devotione pluribus et pluribus vicibus.* « La bienheureuse Claire toucha et baisa ceci par dévotion maintes et maintes fois. »

Le texte de la *RegCl,* tel que la bulle d'Innocent IV le contient, est un texte continu, sans division en chapitres ni titres intercalaires. La division en douze chapitres est toutefois très ancienne et fut faite par analogie avec la *Regula bullata* des Frères Mineurs. Comme pour la Règle des Frères Mineurs, cette division correspond plus à un souci de symbolisme (douze Apôtres, douze tribus d'Israël) qu'au contenu du texte lui-même et certains chapitres rassemblent des sujets bien différents. Quoique cette divison de la *RegCl* en douze chapitres ne soit pas d'origine, nous la reproduirons néanmoins dans ce livre, vu son caractère traditionnel et pour la commodité des références [33].

Par ailleurs, nous avons pensé qu'il serait utile de faire ressortir dans le texte latin de la *RegCl,* par un procédé typographique, les différents emprunts de Claire à ses sources. C'est pourquoi, outre les emprunts à l'Écriture sainte qu'on trouvera comme d'ordinaire en italique, les emprunts à François d'Assise sont signalés par l'utilisation de capitales et les autres emprunts *(Reg.Ben., Reg.Hug., Reg.Inn.)* par l'utilisation de capitales italiques.

4. Le Testament

Comme François, Claire a laissé un testament où elle

32. Cf. Z. LAZZERI, « Il processo di canonizzazione di S. Chiara d'Assisi », dans *Archivum Franciscanum Historicum* 13 (1920), p. 459 (3ᵉ témoignage, n° 32). Pour toute la question de l'approbation de la *RegCl,* voir E. GRAU, « Die päpstliche Bestätigung der Regel der hl. Klara (1253) », dans *Franziskanische Studien* 35 (1953), p. 317-323.

33. Les titres varièrent au cours de l'histoire et au gré des éditions. Nous utiliserons pour la nôtre ceux des *Regulae et Constitutiones generales Monialium Ordinis S. Clarae,* Rome 1973.

évoque les commencements et les lignes de force de sa vie
selon le saint évangile. Elle y parle d'elle-même, de François,
de ses sœurs, de la vie en très haute pauvreté, du lien étroit
aux Frères Mineurs. C'est un rappel, une action de grâces, un
encouragement pour les autres.

Mais l'authenticité de ce très beau *TestCl* se heurta au
doute et aux objections de plus d'un. La raison principale de
ce doute fut le manque de tradition manuscrite. Jusqu'à ces
dernières années, la tradition manuscrite du *TestCl* se limitait
à une édition imprimée du XVIIᵉ siècle ! C'est en effet en
1628 que Wadding publia le *TestCl* dans ses *Annales
Minorum* ³⁴. Il disait tenir ce texte d'un document ancien, *ex
memoriali antiquo*, sans nous renseigner davantage sur sa
source. Ce texte publié par Wadding fut ensuite recopié par
les Bollandistes ³⁵ et les Éditeurs de Quaracchi ³⁶. C'était le
seul texte latin connu du *TestCl* et il comportait même une
lacune : tout le verset 41 manquait.

A l'absence de tradition manuscrite s'ajoutèrent d'autres
motifs de suspicion : le latin coulant dans lequel est écrit le
TestCl, les doublets que forment certains passages avec la
RegCl, la mention du *Privilège de la pauvreté* accordé par
Innocent III et pour lequel manquait également une tradition
manuscrite, enfin le silence de toutes les sources primitives
autour de l'existence d'un testament de Claire.

Les opposants à l'authenticité du *TestCl* furent Lempp en
1892, Bonaventura da Sorrento en 1894, Cozza-Luzi en 1896,
Van Ortroy en 1900 et 1903, et Wauer en 1906 ³⁷.

---

34. L. Wadding, *Annales Minorum,* ad ann. 1253, n° 5.

35. *Acta Sanctorum,* Augusti II, Antwerpen 1735, p. 747-748.

36. *Seraphicae Legislationis Textus Originales,* Quaracchi 1897,
p. 273-280.

37. Cf. E. Lempp, « Die Anfänge des Clarissenordens », dans
Zeitschrift für Kirchengeschichte 13 (1892), p. 238-241 ; Bonaventura
[Gargiulo] da Sorrento, *La gloriosa S. Chiara d'Assisi,* Naples-
Sorrento 1894, p. 84 ; G. Cozza-Luzi, *Chiara di Assisi secondo alcune
nuove scoperte e documenti,* Rome 1895, p. 17, repris ensuite sous le
titre : « Un autografo di Innocenzo IV e memorie di Santa Chiara di
Assisi », dans *Dissertazioni della Pontificia Accademia Romana di
Archeologia,* ser. 2, 6 (1896), p. 46 ; F. van Ortroy, dans *Analecta
Bollandiana* 19 (1900), p. 128-131, et 22 (1903), p. 360 ; E. Wauer,

En 1902, Lemmens réfuta les arguments de Lempp, se déclara en faveur de l'authenticité du *TestCl*, mais ne donna pas les motifs de sa position[38]. C'est Robinson qui le premier, en 1910, démontra que l'argument *ex silentio* ne pouvait s'opposer à l'authenticité du *TestCl*[39]. Depuis lors, les historiens conclurent à l'authenticité : Sabatier en 1924, Fassbinder en 1936, Grau en 1953, Omaechevarría en 1970, Lainati en 1977, Grau à nouveau et Ciccarelli en 1979, Omaechevarría encore en 1982, Vorreux en 1983 et Lainati enfin en 1984[40]. Le latin des *Lettres à Agnès de Prague* supprime l'objection formulée quant à la langue du *TestCl*. Ensuite, Claire, étant l'auteur de la *RegCl*, peut bien se répéter dans son testament. Enfin il est aujourd'hui bien établi qu'Innocent III avait concédé à Claire le *Privilège de la pauvreté*[41].

Il restait l'absence de manuscrit latin ancien. Il y a quelques années encore, aucun n'était connu. Par contre, on connaissait quelques manuscrits anciens du *TestCl* en moyen français, en

Entstehung und Ausbreitung des Klarissenordens besonders in den deutschen Minoritenprovinz, Leipzig 1906, p. 2 s.

38. L. LEMMENS, « Die Anfänge des Clarissenordens », dans *Römische Quartalschrift* 16 (1902), p. 97-98.

39. P. ROBINSON, « The writings of St. Clare of Assisi », dans *Archivum Franciscanum Historicum* 3 (1910), p. 442-447.

40. P. SABATIER, « Le Privilège de la pauvreté », dans *Revue d'Histoire Franciscaine* 1 (1924), p.1-54 ; M. FASSBINDER, « Untersuchungen über die Quellen zum Leben der hl. Klara von Assisi », dans *Franziskanische Studien* 23 (1936), p. 304-306 ; E. GRAU, *Leben und Schriften der hl. Klara*, Werl (Westphalie) 1952, p. 21-22 ; I. OMAECHEVARRÍA, *Escritos de Santa Clara y Documentos contemporaneos*, Madrid 1970, p. 276-277 ; Ch.A. LAINATI, dans *Fonti Francescane*, Assise 1977, p. 2268 ; E. GRAU, « Die Schriften der heiligen Klara und die Werke ihrer Biographen », dans *Movimento religioso femminile e francescanesimo nel secolo XIII*, Assise 1980, p. 213-219 ; D. CICCARELLI, « Contributi alla recensione degli scritti di S. Chiara », dans *Miscellanea Francescana* 79 (1979), p. 360-362 ; I. OMAECHEVARRÍA, *Escritos de Santa Clara y Documentos complementarios*, Madrid 1982², p. 337-339 ; D. VORREUX, dans *Sainte Claire d'Assise. Documents*, Paris 1983, p. 109-110 ; Ch.A. LAINATI, art. « Testamento di S. Chiara », dans *Dizionario Francescano*, Padoue 1984, col. 1827-1846.

41. Cf. *supra*, p. 11, n. 4.

moyen italien et en moyen néerlandais [42], ce qui peut
s'expliquer par la tradition ancienne de lire le *TestCl* avec la
RegCl durant les repas, lecture qui, chez les Sœurs Pauvres, a
dû très tôt se faire en langues vernaculaires, le latin n'étant
plus compris. On peut ainsi comprendre que, si les textes
latins n'étaient plus utilisés, il n'y ait plus eu grande nécessité
de les conserver.

De récentes recherches ont cependant amené à découvrir
quelques manuscrits latins du *TestCl* qui vont permettre d'en
assurer définitivement l'authenticité et d'en rétablir solidement
le texte.

Les manuscrits retrouvés, qui contiennent le *TestCl* en latin,
sont un manuscrit conservé au monastère des Clarisses de
Messine, le *codex 1258* de l'Archivo Histórico Nacional de
Madrid, le *codex C 63* de la Bibliothèque de l'Université
d'Uppsala et un manuscrit conservé au monastère des Clarisses
d'Urbino.

Le manuscrit (sans cote) conservé à Messine, au monastère
des Clarisses de Montevergine (= **M**), fut signalé en 1954 par
Z. Lazzeri [43] et décrit par D. Ciccarelli dans deux récentes
publications [44]. Il s'agit d'un codex en parchemin, du XIVe s.,
comprenant 34 feuillets de 75×50 mm, qui appartint à la
bienheureuse Eustochia Calafato de Messine, Clarisse du

42. Cf. UBALD D'ALENÇON, « Le plus ancien texte de la bénédiction, du privilège de la pauvreté et du testament de sainte Claire
d'Assise », dans *Revue d'Histoire Franciscaine* 1 (1924), p. 469-482, et
2 (1925), p. 290; D. DE KOK, « S. Clarae Benedictionis textus
neerlandici », dans *Archivum Franciscanum Historicum* 27 (1934),
p. 395-396; AMADEUS A ZADELGEM, « Manuscripta Franciscana in
Italiae Bibliothecis asservata », dans *Collectanea Franciscana* 13 (1943),
p. 173; D. VAN HEEL, *Handschriften berustende in de Goudse Librye,*
Gouda 1949, p. 24-26; H. LIPPENS, dans *Archivum Franciscanum
Historicum* 40 (1947), p. 290-291.

43. Z. LAZZERI, « La "forma vitae" di S. Chiara... a Messina? »,
dans *Chiara d'Assisi*, Rassegna del Protomonastero 2 (1954), p.
137-141.

44. D. CICCARELLI, « I manoscritti francescani della Biblioteca
Universitaria di Messina », dans *Miscellanea Francescana* 78 (1978),
p. 517-521; ID., « Contributi alla recensione degli scritti di S. Chiara »,
dans *Miscellanea Francescana* 79 (1979), p. 349-351.

XVe siècle. Il pourrait provenir du monastère des Clarisses de Monteluce à Pérouse, qui possédait un *scriptorium*[45].

Il contient: *Forma vitae sororum pauperum quas beatus Franciscus instituit* (ff. 3^r-21^r); *Privilegium domini Innocentii quod sorores sanctae Clarae non possunt cogi ad possessiones accipiendas* (ff. 21^r-23^r); bulle *Solet annuere* d'Innocent IV (ff. 23^r-24^v); *Testamentum beatae Clarae* (ff. 25^v-32^v); *Benedictio eiusdem sanctae Clarae sororibus suis praesentibus et venturis* (ff. 32^v-33^v).

Le *codex 1258* de l'Archivo Histórico Nacional de Madrid (= **Ma**) a été décrit par A. Uribe en 1974[46]. Il s'agit d'un codex comprenant deux parties distinctes: la première fut imprimée à Venise en 1500 et la seconde, manuscrite, fut réalisée à la fin du XVe s. ou au début du XVIe s. Il y a 359 feuillets mesurant 220 × 165 mm. La seconde partie commence au f. 241 et est une anthologie de textes franciscains, principalement de textes législatifs. Nous y trouvons notamment la *Règle* de Claire (ff. 249^v-255^v), le *Testament* de Claire (ff. 255^v-257^v), la *Bénédiction* de Claire (ff. 257^v-258^r), le *Privilège de la pauvreté* d'Innocent III (f. 258^{r-v}).

Le *codex C 63* de la Bibliothèque de l'Université d'Uppsala (= **Up**) a été décrit par M. Anderssen-Schmitt en 1970[47]. Il fut écrit sur papier, au XIVe s. pour l'auteur du catalogue d'Uppsala, au XVe s. pour E. Grau qui se base davantage sur un examen paléographique qui nous paraît exact[48]. Il provient du monastère des Brigittines de Vadstena, fondé par sainte Brigitte (1303-1373), tertiaire franciscaine. Il comprend 221 feuillets de 215 × 153 mm.

Ce codex contient, lui aussi, un mélange d'écrits franciscains, parmi lesquels: la *Règle* de Claire (ff. 176^r-180^r),

---

45. U. NICOLINI, «I Minori Osservanti di Monteripido e lo "scriptorium" delle Clarisse di Monteluce in Perugia nei secoli XV e XVI», dans *Picenum Seraphicum* 8 (1971), p. 100-130.

46. A. URIBE, «Nuevos escritos ineditos villacrecianos», dans *Archivo Ibero-Americano* 34 (1974), p. 303-334.

47. M. ANDERSSEN-SCHMITT, *Manuscripta Mediaevalia Upsalensia*, Uppsala 1970, p. 89.

48. E. GRAU, «Die Schriften der heiligen Klara und die Werke ihrer Biographen», dans *Movimento religioso femminile e francescanesimo nel secolo XIII*, Assise 1980, p. 214, n. 63.

le *Privilegium domini Innocentii quod sorores sanctae Clarae non possunt cogi ad possessiones accipiendas* (f. 180[r-v]), le *Testament* de Claire (ff. 180[v]-183[r]), la *Bénédiction* de Claire (f. 183[r-v]).

Le manuscrit (sans cote) conservé à Urbino, au monastère des Clarisses (= **Ur**), fut signalé en 1957 par F. Casolini[49] et décrit par D. Ciccarelli[50]. Il s'agit d'un codex en parchemin, du XVe s., comprenant 46 feuillets de 225 × 153 mm. Peut-être pourrait-il provenir, lui aussi, du monastère de Monteluce à Pérouse, qui fonda celui d'Urbino en 1455.

Ce codex contient des textes en latin et en italien. Le *Testament* de Claire s'y trouve aux ff. 12[r]-17[v] en latin et aux ff. 36[r]-41[v] en italien, suivi aux ff. 41[v]-42[v] de la *Bénédiction* de Claire, en italien également.

La collation de ces manuscrits révèle qu'ils sont très proches les uns des autres et qu'ils ont vraisemblablement un archétype commun, aujourd'hui perdu, qui pourrait bien s'être trouvé au monastère de Monteluce à Pérouse. **M**, **Up** et **Ur** dépendent de copies qui pourraient avoir été effectuées au *scriptorium* de Pérouse : **M** a appartenu à Eustochia Calafato qui était très liée à la bienheureuse Cecilia Coppoli, Clarisse de Pérouse ; **Up** vient d'un monastère fondé par sainte Brigitte de Suède, qui fit un pèlerinage à Assise où elle se procura des écrits franciscains ; le monastère d'Urbino, où est conservé **Ur**, est une fondation de celui de Pérouse. Quant à **Ma**, il apparaît très proche de **M**.

Après examen des variantes, nous nous risquons à proposer le stemma suivant :

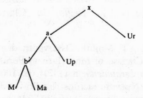

49. F. CASOLINI, «Origini del monastero fridericiano di Santa Chiara in Urbino», dans *Chiara d'Assisi* 5 (1957), p. 87-98.

50. D. CICCARELLI, «Contributi alla recensione degli scritti di S. Chiara», dans *Miscellanea Francescana* 79 (1979), p. 352-353.

Le manuscrit le meilleur nous a paru être **M.** C'est pourquoi nous l'avons choisi comme base de notre édition, le corrigeant quelquefois par l'accord de **Ma** et **Up.** **Ur** présente un texte nettement plus lourd ou moins précis, où se rencontre le plus grand nombre d'incorrections. Bien qu'il ne s'agisse pas d'un manuscrit, nous avons néanmoins tenu compte du texte de Wadding (= **Wa**) dont nous signalons les variantes dans l'apparat critique.

Claire rédigea son *Testament* dans les dernières années de sa vie, dans le même temps que la *Règle*. Il paraît difficile de préciser davantage.

5. La Bénédiction

La *Legenda sanctae Clarae* nous dit que Claire, sur le point de mourir, bénit ses sœurs, présentes et à venir[51]. Cette bénédiction fut-elle mise par écrit ? Claire utilisa-t-elle un texte qu'elle avait composé ? La réponse n'est pas simple.

Par les documents qui nous sont parvenus, nous possédons en fait trois formules de bénédiction de Claire, substantiellement les mêmes : une adressée à Agnès de Prague, une autre à Ermentrude de Bruges et une troisième à toutes les Sœurs[52]. Ces textes sont en moyen allemand, en moyen néerlandais, en moyen français, en moyen italien et en latin.

La bénédiction adressée à Agnès de Prague ne se rencontre que dans des manuscrits en moyen allemand, où elle est liée à la *4 LAg*[53]. Or elle manque dans le manuscrit de Milan qui contient les *Lettres à Agnès de Prague*. De plus, le texte

51. *Legenda sanctae Clarae virginis*, ed. F. Pennacchi, Assise 1910, n° 45, p. 63.

52. D. CICCARELLI, « Contributi alla recensione degli scritti di S. Chiara », dans *Miscellanea Francescana* 79 (1979), p. 362-364.

53. W. SETON, « Some new Sources for the Life of Blessed Agnes of Prague including some chronological notes and a new text of the Benediction of St. Clare », dans *Archivum Franciscanum Historicum* 7 (1914), p. 185-197 ; ID., « The oldest text of the Benediction of Saint Clare of Assisi », dans *Revue d'Histoire Franciscaine* 2 (1925), p. 88-90 ; C.M. BORKOWSKI, « A second Middle High German Translation of the Benediction of Saint Clare », dans *Franciscan Studies* 36 (1976), p. 99-104.

allemand semble avoir été fait sur le modèle latin de la
bénédiction adressée à Ermentrude, dont nous allons parler
plus loin. Il est donc peu vraisemblable que cette bénédiction
adressée à Agnès de Prague soit authentique.

La bénédiction adressée à Ermentrude de Bruges se trouve
dans un manuscrit latin du XVIIᵉ siècle, copié par
S. Bouvier[54], et son authenticité est très peu probable.

La bénédiction adressée à toutes les Sœurs se retrouve en
moyen français dans un manuscrit du XVᵉ siècle[55], en moyen
italien dans le manuscrit d'Urbino (ff. 41ᵛ-42ᵛ), ainsi que dans
un autre manuscrit du même monastère[56] et dans la *Chro-
nique* de Marc de Lisbonne, publiée à Venise en 1582[57], en
moyen néerlandais dans quelques manuscrits, à la suite du
Testament[58], et en latin, enfin, dans les manuscrits de Messine
(ff. 32ᵛ-33ᵛ), Madrid (ff. 257ᵛ-258ʳ) et Uppsala (f. 183ʳ⁻ᵛ), chaque fois à la suite du *Testament*. Tous ces textes sont proches
les uns des autres et plaident en faveur de l'authenticité d'une
Bénédiction de Claire à toutes les Sœurs.

Pour l'édition du texte de la *BCl*, nous avons suivi les
mêmes critères que pour le *TestCl*. Nous proposons le stemma
suivant :

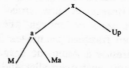

Nous avons pris comme base le texte de **M**.

Jean-François GODET, o.f.m.

54. D. DE KOK, « De origine Ordinis S. Clarae in Flandria », dans
Archivum Franciscanum Historicum 7 (1914), p. 244-245.

55. UBALD D'ALENÇON, « Le plus ancien texte de la bénédiction, du
privilège de la pauvreté et du testament de sainte Claire d'Assise »,
dans *Revue d'Histoire Franciscaine* 1 (1924), p. 469-482.

56. D. CICCARELLI, « Contributi alla recensione degli scritti di S.
Chiara », dans *Miscellanea Francescana* 79 (1979), p. 353-355.

57. MARCO DA LISBONA, *Cronache,* Venise 1582, t. I, l. 8, chap.
34, p. 240.

58. D. DE KOK, « S. Clarae Benedictionis textus neerlandici », dans
Archivum Franciscanum Historicum 27 (1934), p. 387-398 ; H. LIPPENS,
dans *Archivum Franciscanum Historicum* 40 (1947), p. 290-291.

DEUXIÈME PARTIE

LE CONTENU DES ÉCRITS

I. CLAIRE «ÉCRIVAIN»

1. Une certaine image de Claire

Plus encore que celle de François, la figure de Claire apparaît nimbée d'une aura poétique. Fille de la noblesse assisiate, séduite par l'évangélisme du fils du marchand Bernardone, et qui s'enfuit nuitamment pour s'engager, après des péripéties, sur le chemin de la pauvreté, quel beau thème pour des développements littéraires! Ceux-ci n'ont pas manqué, et voici «le jardin de notre sœur Claire», et la «petite plante» de François, tellement noyée dans la lumière solaire du fondateur, que son originalité et même son identité s'estompent. Aussi, trop souvent, Claire disparaît-elle derrière François; elle n'est vue que comme une variante féminine du charisme de celui-ci.

Or, sans même recourir au procès de canonisation et à la première biographie (de Thomas de Celano), c'est une tout autre image que nous révèlent les écrits de Claire, malgré leur caractère circonstanciel et leur petit nombre.

Ce qui s'en dégage, en premier lieu, au témoignage surtout du *Testament* et en partie de la *Règle*, c'est une figure féminine déterminée, combative, persévérante. Une longue patience, des démarches sans cesse reprises, une diplomatie têtue finissent par lui garantir ce à quoi elle tient absolument: l'originalité de sa forme de vie dans «la très haute pauvreté» et le lien à François et à son Ordre.

Claire est aussi — et c'est une grande première historique
— la première femme à composer une règle pour les
femmes[1]. Cette règle qu'elle a portée en elle quarante ans
durant, alors qu'elle était soumise à d'autres règles, est une
œuvre hautement originale à plusieurs titres. Écrite par une
femme après une longue expérience de vie commune, elle finit
par être approuvée, moins de quarante ans après que le IVe
Concile de Latran ait interdit d'en composer de nouvelles[2].
Dérogation qui n'est pas mentionnée, comme ce sera le cas
quelques années plus tard pour la Règle féminine d'Isabelle de
France à Longchamp[3]. Par une sorte de fiction — diplomatique ou juridique? —, elle n'est jamais appelée règle mais
«forme de vie»; par ailleurs sa création est mise sur le
compte, non de Claire, mais de François: «forme de vie de
l'Ordre des Sœurs Pauvres, que le bienheureux François
institua...» (RegCl 1, 1). Quel cardinal, quel pape pourrait ne

---

1. Dès qu'il y eut des femmes vivant en commun la vie religieuse,
des règlements leur furent proposés. Déjà saint Jérôme et saint
Augustin, au IVe s., s'en préoccupèrent. Le texte le plus connu est la
règle que Césaire d'Arles a composée pour le monastère dirigé par sa
sœur (VIe s.). Au XIIe s., à la demande d'Héloïse, Abélard rédige un
ensemble de règlements pour le monastère du Paraclet. Ces textes
pour des femmes ont tous été écrits par des hommes. Quant à la
Règle de saint Benoît, elle fut utilisée dans les monastères féminins,
soit telle quelle, soit avec une transposition au féminin, soit encore au
moyen d'une refonte du texte pour l'adapter à une communauté de
femmes. Même dans ce dernier cas ce fut le travail des hommes. La
première femme dont l'intervention est attestée (1475), est Marie de
Bretagne, abbesse de Fontevraud. Cf. L. DE SEILHAC, O.S.B.,
«L'utilisation de la Règle de saint Benoît dans les monastères
féminins», dans Atti del 7° Congresso internazionale di studi sull'alto
medioevo, Spoleto 1982, p. 527-545. Pour l'ensemble de la question:
J. LECLERCQ, O.S.B., «Femminile, monachesimo», dans Dizionario
degli Istituti di perfezione 3 (1976), c. 1446-1451.
    2. Constitution 13: Ne nimia religionum diversitas, dans Conci-
liorum Œcumenicorum Decreta, Bologne 1973[3], p. 242.
    3. Bulle d'approbation d'Alexandre IV (1259) de la Règle d'Isa-
belle de France (sœur de Louis IX) pour les Sorores Minores Inclusae:
prohibitioni eiusdem Consilii Generalis, obtutu eorumdem regis et
Isabellae, in hoc specialiter detrahentes, dans I. OMAECHEVARRÍA,
Escritos de Santa Clara y documentos complementarios, Madrid 1982[2],
p. 294.

pas approuver, en 1252-1253, ce qui est censé être l'œuvre de
François ?

Enfin, Claire est une des rares figures féminines de cette
époque qui ait laissé des textes écrits. Les femmes de
l'Antiquité et du Moyen Âge dont nous connaissons des écrits
religieux peuvent se compter sur les doigts : Égérie, Dhuoda,
Héloïse, Hildegarde de Bingen[4] ; Gertrude et les deux
Mechtilde viendront plus tard. Le fait mérite d'être noté ; il
rend d'autant plus précieux les quelques textes qui nous
restent de Claire. Sur les huit pièces conservées, nous avons,
par ailleurs, au moins quatre genres littéraires différents : un
texte législatif (Règle), un écrit exhortatif en partie autobiographique (Testament), des lettres (à Agnès, à Ermentrude), un
écrit à caractère liturgique (Bénédiction). Peu étendus, ces
textes, comme la suite le montrera, ont cependant un contenu
substantiel.

2. Des écrits situés

Les écrits de Claire se cristallisent autour de trois pôles
d'intérêt qui sont aussi des dimensions de son expérience : une
fidélité combative et tenace, une organisation originale de la
vie communautaire, une amitié admirative et fidèle.

Le Testament est un cri de fidélité. Celle qui l'écrit vers la

---

4. P. DRONKE, *Women Writers of the Middle Ages. A critical study
of texts from Perpetua (203) to Marguerite Porete (1310)*, Cambridge
1984. Dans cet ouvrage, l'auteur analyse l'apport littéraire et intellec-
tuel d'un certain nombre de femmes (7) de la période envisagée.
Claire n'y figure pas. La bibliographie (p. 320-332) tente un relevé
complet de tous les écrits composés par des femmes à cette époque et
qui ont été publiés. Dans ce relevé figurent plus de 80 noms, dont
Claire d'Assise. Il s'agit, dans la majorité des cas, de lettres et de
poèmes. On ne compte que 16 œuvres majeures, dont sept sont
antérieures à Claire (Perpétue, Égérie, Dhuoda, Hrotsvitha, Herrad
de Hohenburg, Héloïse, Hildegarde de Bingen), deux contemporaines
(Élisabeth de Schönau, Hadewijch) et six autres postérieures (dont
Angèle de Foligno et Gertrude d'Helfta). Dans tout cet ensemble,
aucune femme n'a fait œuvre de législation, comme c'est le cas de
Claire. La collection *Sources chrétiennes* a publié les textes d'Égérie
(*SC* 296), de Dhuoda (*SC* 225), de Gertrude d'Helfta (*SC* 127, 139,
143, 255).

fin de sa vie livre un combat dont l'issue n'est pas absolument certaine. Après avoir décrit lyriquement la grandeur de la vocation des sœurs et sa signification ecclésiale (1-23), Claire en vient à raconter les origines de son mouvement et son lien avec François (24-36). Après quoi, quelques points sont soulignés avec force : la pauvreté sous forme de refus de toute possession (37-52) ; le lien à François et à l'Ordre (48-51) ; les relations entre celle qui est en charge (53.61) et les autres sœurs (61-70). On pourrait s'étonner de ce que le rapport à Dieu, la prière, ce que l'on appelle aujourd'hui vie contemplative, ne soit pas davantage pris en considération. Mais Claire s'attache surtout à ce qui constitue le caractère propre de sa fondation et qui lui paraît menacé. Cet écrit, si fortement marqué par les circonstances, s'appuie cependant sur une vision spirituelle plus vaste et l'on sent derrière les lignes une sensibilité frémissante mais forte. La *Bénédiction* se rattache de près à la conclusion du *Testament* qu'elle prolonge en accents liturgiques.

La *Règle*, dont la longue gestation est une histoire de ténacité et de patience, se présente de prime abord comme un texte austère, rébarbatif pour nos sensibilités. Les innombrables emprunts à la 2e Règle de François, aux Règles d'Hugolin et d'Innocent, à la Règle bénédictine — que montre visuellement la disposition du texte latin dans la présente édition —, donnent l'impression d'un puzzle peu original. Mais une étude attentive révèle que les emprunts sont appliqués avec grande liberté, dans le sens de la largeur, et que les apports propres de Claire, surtout ceux relatifs à la vie communautaire (rôle de l'autorité, coresponsabilité, démocratisation, miséricorde), constituent souvent des nouveautés dans l'histoire de la vie religieuse.

Les quatre *Lettres* à Agnès de Prague relèvent de la correspondance d'amitié entre deux femmes. Très espacées (entre 1234 et 1253), elles ont pourtant une unité d'inspiration et de style. Certes c'est un style de cour, ample, compliqué, comme il convient dans la correspondance avec une princesse. Une fois saisi le mouvement intérieur, on y perçoit une sorte de jubilation admirative, un chant de joie à la vue de la croissance évangélique d'Agnès. Claire s'y révèle, indirectement (c'est toujours d'Agnès qu'elle parle, jamais d'elle-même), une grande spirituelle. Ce sont, en effet, les *Lettres* qui contiennent une vision très élaborée de l'expérience chrétienne, surtout dans sa dimension nuptiale. Tout en répondant à des questions concrètes: refus des possessions (*2 LAg* 11-18), jeûnes (*3 LAg* 29-41), elles décrivent une démarche spirituelle originale, qui est l'horizon même de la vie de Claire et d'Agnès.

Ainsi, malgré le petit nombre d'écrits, une vision riche et forte nous est présentée; en ces fragments se reflète une personnalité humaine et spirituelle hors pair.

3. La forme

a. *Langue, style, authenticité*

On change de monde lorsqu'on passe brutalement des écrits de François à ceux de Claire. Cela est moins perceptible dans la *Règle*, où des passages entiers de la Règle de François sont repris; encore que, même là, des phrases bien travaillées (*RegCl* 9, 6-10) marquent la différence. Le *Testament* emploie un style ample, un vocabulaire plus riche que celui de François, une grammaire plus correcte. Mais c'est encore une langue relativement simple. Tel n'est plus le cas des *Lettres*. Nous sommes là en face d'un style très oratoire, poétique (*1 LAg* 8-11; *4 LAg* 9-14), parfois ampoulé (*3 LAg* 6-7), jusqu'à l'obscurité (*3 LAg* 29-30). Le curieux *inquit* (*1 LAg* 18) que reprend plusieurs fois la quatrième lettre (*4 LAg* 19.26.35.36), l'étrange emploi du *saltem* (*4 LAg* 22.37), tout cela trahit une abondance foisonnante, pas toujours contrôlée.

Il est intéressant de noter l'emploi des mots qui ne se rencontrent pas chez François, comme — pour ne mentionner que les plus caractéristiques — *speculum* (12 emplois), *conversio* (7), *vocatio* (6), *imitari* (5), *amator* (4), *amplexari* (4), *intueri* (4), *mirari* (4), *consensus* (3), *contemplatio* (3), mots qui indiquent des centres d'intérêt[5].

Certes, la question se pose de savoir si Claire a écrit ou

---

5. Les relevés statistiques du vocabulaire sont faits d'après J.-F. GODET et G. MAILLEUX, *Opuscula sancti Francisci, Scripta sanctae Clarae. Concordance, Index, Listes de fréquence, Tables comparatives* (*Corpus des Sources franciscaines*, V), Louvain 1976.

dicté ces textes elle-même et en latin, ou si elle a été aidée par un ou des secrétaires. A cette question il n'y a pas de réponse convaincante, faute de témoignages contemporains précis. On suppose que Claire avait au moins autant, et sans doute plus, de culture (savoir lire et écrire en latin) que François, étant donné son rang social[6]. Que par ailleurs elle ait eu recours à l'aide des secrétaires, cela paraît également aller de soi. Cependant, une familiarité avec ces textes fait sentir une unité d'inspiration et même de style, avec, bien entendu, des différences entre des genres aussi particuliers qu'une règle, une exhortation, une correspondance royale. Un épithalame, comme le texte de *1 LAg* 7-14, ou encore un chant de victoire (*3 LAg* 1-11), ne sont pas une composition artificielle de scribe, mais des cris du cœur enregistrés sur le vif.

b. *Influences*

La première influence, qui se mesure d'ailleurs au nombre de citations, est celle de l'Écriture. En s'appuyant sur l'index scripturaire de cette édition, on peut relever 54 citations de l'Ancien Testament, 127 du Nouveau, ce qui est beaucoup par rapport à des textes peu étendus ; chez François : 156 emplois de l'A.T. et 280 du N.T. Pour juger de la comparaison, il faut se rappeler que les écrits de François représentent un ensemble trois fois plus grand que ceux de Claire. Les citations communes à François et à Claire ne sont pas très nombreuses (4 pour l'A.T. ; 40 pour le N.T.). Claire recourt, par contre, à des textes que François n'utilise pas, en particulier le Cantique des Cantiques, Job, le Psaume 44 (nuptial). Dans le Nouveau Testament, l'emploi de la deuxième lettre aux Corinthiens est plus fréquent chez Claire que chez François : 11 emplois chez Claire, 4 chez François. Mais l'influence johannique est moins marquée chez elle : *Jn* : 8 emplois contre 43 chez François ; *1 Jn* : 6 emplois chez François, aucun chez Claire.

Les emprunts liturgiques les plus considérables se trouvent

---

6. J.M. Castro — F. Aizpurúa, «Las cartas de Santa Clara», dans *Introducción a Santa Clara de Asís,* II, Zaragoza 1981, p. 28 (dact.).

dans *1 LAg* et ils sont tirés de l'office si lyrique de sainte Agnès (*1 LAg* 8.10-11 ; *3 LAg* 16), qui célèbre les épousailles mystiques de la sainte avec le Christ époux. Quelques expressions concernant le mystère marial proviennent des offices de l'Assomption et de l'Annonciation (*2 LAg* 5 ; *3 LAg* 17-18).

L'usage massif que Claire fait des différentes règles qu'elle a connues ou pratiquées — les deux Règles et le Testament de François, la Règle de saint Benoît, celles d'Hugolin et d'Innocent — est signalé dans le texte et sera évalué dans la suite de cette introduction. Mais ce qui frappe, c'est la reprise de quelques phrases de la deuxième Vie de François d'après Thomas de Celano (*2 Cel*) décrivant la figure du ministre général, appliquées par Claire à l'abbesse (*2 Cel* 185 et *RegCl* 4, 11-12). Or cette vie a été rédigée en 1247[7]. De même, dans le *Testament,* quelques passages biographiques correspondent à peu près mot pour mot au récit de la Légende des Trois Compagnons (*3 Soc*) qu'on ne peut dater avec certitude (*TestCl* 11-13 et *3 Soc* 24)[8]. Si l'on peut hésiter quant à l'antériorité du *Testament* par rapport à *3 Soc*, il paraît certain que Claire utilise *2 Cel* nouvellement rédigé ; elle suit donc le mouvement littéraire concernant François.

Laissant de côté les dépendances littéraires directes, il serait intéressant de situer Claire dans les mouvements spirituels de son époque et tout d'abord le mouvement cistercien. Il nous paraît évident que Claire est marquée, dans ses perspectives spirituelles, beaucoup plus fortement que François par l'esprit de son temps. A cet égard, le thème nuptial, la mystique de la pauvreté et de la croix, et le thème du miroir[9] mériteraient d'être comparés.

7. Thomas de Celano, *Vita secunda S. Francisci Assisiensis,* Quaracchi 1927.

8. T. Desbonnets, « Legenda trium Sociorum », dans *Archivum Franciscanum Historicum* 67 (1974), p. 38-144.

9. Dans l'article fondamental de Margot Schmidt, « Miroir », dans *Dictionnaire de Spiritualité* 10 (1980), c. 1290-1303, alors que sont citées comme témoins de ce thème Hildegarde de Bingen (antérieure à Claire) et Mechtilde de Magdebourg (postérieure), Claire n'est pas mentionnée, bien que le thème du miroir se rencontre chez elle 12 fois.

4. Études sur les écrits de Claire

Les écrits de Claire n'ont été vraiment connus et répandus, même dans les milieux franciscains, que dans le deuxième quart de ce siècle, et ce n'est que récemment qu'a été entreprise sérieusement l'étude de leur contenu.

C'est la *Règle* qui a été étudiée la première et le plus à fond par E. Grau (1953)[10], Ch.A. Lainati (1973)[11], L. Iriarte (1975)[12], J. Garrido (1979)[13], J.-F. Godet (1985)[14]. Le *Testament* n'a fait l'objet que de deux études plus poussées : S. Lopez (1982)[15] et Ch.A. Lainati (1984)[16]. Enfin, pour les *Lettres,* il n'existe, à ma connaissance, que des études ronéotypées, du reste fort bien faites, dans la série espagnole : *Introducción a Santa Clara de Asís* (1980-1981)[17]. Les lettres y sont analysées par J.M. Castro, F. Aizpurúa et A. Amunarriz. Cette « Introduction » en trois fascicules est ce qu'il y a de mieux actuellement comme initiation approfondie aux écrits de Claire. A part l'analyse des *Lettres,* on y trouve encore des études sur la *Règle* de J.M. Fonseca et de M.V. Triviño, ainsi qu'une étude exhaustive sur l'utilisation de l'Écriture par Claire (F. Aizpurúa), accompagnée par de précieux index bibliques très complets, œuvre de J.A. Aiguirre et J.M. Duque. Comme on peut le constater, dans cette énumération ne figure qu'un nom français.

On le voit, une analyse attentive et comparée des textes

---

10. E. GRAU, « Die Regel der hl. Klara (1253) in ihrer Abhängigkeit von der Regel der Minderbrüder (1223) », dans *Franziskanische Studien* 35 (1953), p. 211-273.

11. Ch.A. LAINATI, « La Regola Francescana e il II° Ordine », dans *Vita Minorum* 44 (1973), p. 227-249.

12. L. IRIARTE, *Letra y espíritu de la Regla de Santa Clara,* Valencia 1975.

13. J. GARRIDO, *La forma de vida de Santa Clara,* Aranzazu 1979.

14. J.-F. GODET, « Progretto evangelico di Chiara oggi », dans *Vita Minorum* 56 (1985), p. 198-301.

15. S. LOPEZ, « Lectura teologica del Testamento de Santa Clara », dans *Selecciones de Franciscanismo* 11 (1982), p. 299-312.

16. Ch.A. LAINATI, « Testamento di Santa Chiara », dans *Dizionario Francescano,* Padova 1984, c. 1827-1846.

17. *Introducción a Santa Clara de Asís* (Curso de Santa Clara por corespondencia, 3 fascicules), Zaragoza 1980-1981.

doit être encore poursuivie ; ce n'est que dans la suite que l'on pourra présenter une vision globale objective de l'esprit de sainte Claire d'après ses écrits. Des essais en ce sens existent déjà, appuyés du reste sur les textes de Claire et faisant appel à d'autres sources (procès de canonisation, biographie). Mentionnons ici les noms de L. Hardick (1952) [18], H. Roggen (1966 et 1980) [19], R.C. Dhont (1973) [20], Ch.A. Lainati (1979) [21].

II. TROIS CENTRES D'INTÉRÊT

Comme je l'ai indiqué plus haut, les trois catégories d'écrits (*Testament, Règle, Lettres*) sont caractérisées, chacune, par des centres d'intérêt différents : affirmation passionnée et tenace d'une fidélité (*Testament* et le chapitre 6 de la *Règle*) ; organisation réaliste et souple de la vie communautaire (*Règle*) ; expérience spirituelle (*Lettres*).

L'analyse du contenu des textes de Claire sera donc regroupée, suivant le mouvement même des écrits, autour de ces trois pôles.

18. L. HARDICK, « Erläuterungen », dans *Leben und Schriften der heiligen Klara von Assisi*, Werl (Westphalie) 1980[5], p. 154-188 ; ce texte, paru dans la première édition allemande en 1952, a été traduit en français par D. Vorreux : L. HARDICK, *Spiritualité de sainte Claire (Présence de saint François*, 10), Paris 1961.

19. H. ROGGEN, *Franciscaans-evangelische Levensstijl volgens de h. Clara van Assisi*, Den Haag 1966 ; en français : *L'Esprit de sainte Claire (Présence de saint François*, 19), Paris 1969. ID., *Clara van Assisi, zien uit het hart*, Tielt 1980.

20. R.C. DHONT, *Claire parmi ses sœurs*, Paris 1985[3].

21. Ch.A. LAINATI, « Una "lettura" di Chiara d'Assisi attraverso le Fonti », dans *Approccio storico-critico alle Fonti Francescane*, Rome 1979, p. 155-177.

1. Affirmation passionnée et tenace d'une fidélité

Le *Testament* de Claire, rédigé dans les dernières années de sa vie, exprime sans ambiguïté, avec passion et non sans une certaine appréhension, ce qui lui tenait le plus à cœur : attachement à la forme de vie que François lui a léguée. Cet attachement se concrétise en deux points : lien à François et à son Ordre, refus de toute possession.

a. Lien à François et à ses frères

Le nom de François revient 32 fois dans les écrits de Claire ; dans le *Testament* il apparaît presque à chaque phrase (*TestCl* : 17 ; *RegCl* : 11 ; ailleurs : 4). François est appelé « colonne, consolation, appui » (*TestCl* 38), « fondateur, planteur, aide » (*TestCl* 48) ; c'est lui qui est présenté comme auteur de la forme de vie des sœurs (*RegCl* 1, 1). D'une certaine façon, Claire et ses sœurs sont antérieures aux frères, puisque « alors que le saint... n'avait encore ni frères ni compagnons, quasi aussitôt après sa conversion... il prophétisa » à leur sujet (*TestCl* 9-14). Dès sa conversion, qui suit de près celle de François, Claire se lie à lui par obéissance (*RegCl* 6, 1 ; *TestCl* 25), ce qui, en termes canoniques de l'époque, signifie appartenance au même groupe. Mais ce lien n'est pas à sens unique : François aussi s'engage, « par lui-même et par ses frères, d'avoir toujours un soin affectueux et une sollicitude spéciale » des sœurs (*RegCl* 6, 4 ; *TestCl* 29.49). Maintenant que François est mort (1226) et canonisé (1228) depuis plus de vingt ans, qu'il est appelé par Claire « père » (*TestCl* : 22 fois ; *RegCl* : 3 ; ailleurs : 2), bienheureux et saint, ce devoir incombe à ses frères et successeurs (*TestCl* 50-51 ; *RegCl* 6, 5). Claire le leur rappelle avec insistance et pour l'ensemble de son mouvement (*TestCl* 51) et pour le monastère de Saint-Damien (*RegCl* 12, 6-7).

Il ressort de ces textes, surtout si l'on se rappelle la poussée nivellatrice tendant à ramener la vie des Sœurs Pauvres aux modèles traditionnels de la vie monastique, combien Claire tenait à être liée, à la vie et à la mort, au mouvement suscité par François. Cela lui garantissait l'identité d'inspiration, de destin, et par suite, des possibilités de créer et de maintenir quelque chose de neuf.

b. « *Forma paupertatis* »

Si le lien à François et à ses frères y est vigoureusement réaffirmé comme sauvegarde d'une originalité, le *Testament* se présente avant tout comme un combat pour le maintien de la pauvreté. De cette pauvreté, Claire montre d'abord la racine : c'est le choix qu'en a fait le Fils de Dieu, choix dont il ne s'est jamais écarté (*TestCl* 35.45) ; c'est aussi le choix et la volonté de François qui écrivit pour les sœurs « une forme de vie et surtout que nous persévérions toujours dans la sainte pauvreté » (*TestCl* 33). Une grande partie du texte (plus d'un quart du *Testament* : du v. 33 au v. 55) est consacrée à la question de la pauvreté. On y sent percer une véritable inquiétude. Claire avec ses sœurs a promis « la très sainte pauvreté » à la suite du Christ et de François, elle y engage celles qui lui succéderont (*TestCl* 41), raconte comment elle s'est procuré la garantie papale (d'Innocent III) pour ne pas s'en écarter (*TestCl* 42-43), et supplie l'Église et l'Ordre de l'aider à y rester fidèle (*TestCl* 44-51). Derrière ces lignes on perçoit les pressions extérieures, les difficultés internes, l'incertitude quant à la détermination des sœurs qui viendront (*TestCl* 39). L'appel à l'Église et à l'Ordre n'en est que plus résolu. Il ne faut céder ni aux pressions provenant de la prudence humaine, ni à celles de la faiblesse et de la médiocrité. A Agnès de Prague, qui vit une situation analogue, Claire écrira : « si quelqu'un te disait autre chose, te suggérait autre chose..., bien que tu doives le vénérer, refuse cependant d'imiter son conseil » (*2 LAg* 17). Et ce « quelqu'un » ou « qui que ce soit » que vise déjà François dans ses derniers avis à Claire (*RegCl* 6, 9), c'est évidemment le Pape en personne, Hugolin, Grégoire IX !
Quel est le contenu exact de cette pauvreté pour laquelle Claire bataille ? Dans le *Testament* et dans la *Règle,* il s'agit d'un point très précis et très concret : « ne recevoir et n'avoir ni possession, ni propriété, ni par elles-mêmes, ni par personne interposée » (*RegCl* 6, 12 ; *TestCl* 53-55). Ce n'est donc pas sur la pauvreté des vêtements et de l'argent, qui reste réelle mais modérée (*RegCl* 2, 11.15-16 ; 8, 11), que porte l'insistance, mais sur le refus des possessions et des revenus stables. Claire reprend sur ce point la Règle de François (*2 Reg* 6, 2) et l'applique à une communauté

féminine sédentaire. L'accent passionné mis sur ce point peut
surprendre ; il se comprend aisément lorsqu'on prend
conscience que c'est par là qu'une nouvelle forme de vie
féminine religieuse, *forma paupertatis nostrae* (*RegCl* 2, 13 ; 4,
5 ; *TestCl* 52), prend corps. Vivre sans propriétés ni revenus
— bases socio-économiques indispensables au monde ecclésiastique d'alors —, sans pouvoir mendier comme les frères,
apparaissait sans doute une utopie et une présomption [22].
L'histoire des Sœurs Pauvres allait montrer et les impossibilités
et le stimulant permanent d'une telle prise de position [23]. Mais
c'était là le trait d'une originalité unique, identifiant les frères
et les sœurs dans un même refus. On comprend que c'était
pour Claire un point intangible. François lui-même l'engageait
à ne « s'en éloigner jamais, en aucune façon, sur l'enseignement et le conseil de qui que ce soit » (*RegCl* 6, 9) ; chez
Claire les mots « ne pas s'écarter » employés 8 fois, concernent
6 fois la pauvreté (*RegCl* 6, 6 ; *TestCl* 34-36.39.43).

Une telle concentration sur la pauvreté matérielle sous sa
forme sociale (« ne pouvoir être forcées par personne à
recevoir des possessions » dira d'une façon ramassée et précise
le *Privilège de la pauvreté* 7), doit être cependant située dans
un contexte plus vaste. C'est un moyen pour entrer dans le
mystère de la pauvreté du Fils de Dieu.

La *Règle* et le *Testament* insisteront sur les côtés matériels
de la pauvreté du Christ dans sa naissance : « l'enfant...,
enveloppé de pauvres petits langes, couché dans une
crèche... » (*RegCl* 2, 24 ; cf. aussi *4 LAg* 19) et dans sa mort :
« ce Dieu qui pauvre fut déposé dans une crèche, pauvre vécut
dans le siècle et nu est resté sur le gibet » (*TestCl* 45). Les
Lettres à Agnès en élargiront la dimension : cette pauvreté est
sans doute matérielle (*1 LAg* 18), mais avant tout elle consiste
dans le fait que le Fils de Dieu « voulut apparaître dans le

22. M. PARISSE, *Les nonnes au Moyen Age*, Paris 1983, ch. 3 :
« Gérer les biens », p. 87-104.
23. Pour l'histoire des Sœurs Pauvres, dites Clarisses, on pourra
consulter I. OMAECHEVARRÍA, *Las Clarisas a través de los siglos*,
Madrid 1972 ; en français la publication encore inachevée, en fascicules dactylographiés : Une Clarisse de Nice [Sr. Marie-Colette],
Regard sur l'histoire des Clarisses, tome I : 1212-1253, tome II :
1253-1520, Nice 1980-1982.

monde méprisé, indigent et pauvre » (*1 LAg* 19), qu'il voulut se soumettre à la souffrance et à la mort (*2 LAg* 20). Sa pauvreté, c'est donc aussi « l'humilité, les labeurs sans nombre et les peines qu'il supporta », avec « l'ineffable charité par laquelle il voulut souffrir... le genre de mort le plus honteux de tous » (*4 LAg* 20-23).

Le chapitre autobiographique de la *Règle* (6) ne retient que deux textes adressés par François à Claire, alors qu'il y en eut d'autres (*TestCl* 34 ; *3 LAg* 36). Ces deux écrits ont été retenus intentionnellement et mis en évidence par Claire, parce qu'ils fondent et rejoignent ses deux préoccupations majeures : le lien à François et la pauvreté. « Puisque vous avez... choisi de vivre selon la perfection du saint évangile, je veux et je promets d'avoir toujours, par moi-même et par mes frères, un soin affectueux et une sollicitude spéciale pour vous comme pour eux », affirme François dans le premier texte. Et Claire commente, non sans une pointe : « ce qu'il accomplit soigneusement... et voulut que soit toujours accompli par les frères... » (*RegCl* 6, 3-5). Le deuxième texte déclare la volonté de François de persévérer dans la pauvreté de Jésus-Christ, engage les Pauvres Dames à y vivre toujours, elles aussi, et à ne jamais s'en éloigner (*RegCl* 6, 7-9). A cela Claire entend rester à jamais fidèle.

2. Organisation de la vie communautaire

La première règle pour des femmes composée par une femme, cela mérite et la considération et un examen attentif.

Au départ, quelques constatations s'imposent : ce que nous appelons ici *Règle* ne porte jamais un tel nom, ni dans les bulles d'introduction, ni dans le corps du texte. Celui-ci est appelé toujours *forma* (21 emplois chez Claire, dont 17 dans la *Règle* et 4 dans le *Testament* ; *forma professionis* : 5 fois ; *forma vitae* : 4 fois ; *forma paupertatis* : 3 fois). Est-ce là un expédient pour faire échapper le texte à l'interdiction de Latran IV de composer de nouvelles règles ? Par ailleurs, comme on l'a déjà noté, la *Règle* est mise d'une façon explicite sur le compte de François : « forme de vie à vous transmise par le bienheureux François » (bulle d'Innocent IV : Prologue) ; « forme de vie... que votre bienheureux père saint

François... vous transmit» (lettre du cardinal Raynald, Prologue) ; et plus net encore : «forme de vie... que le bienheureux François institua» (*RegCl* 1, 1).

Il s'agit donc, pour Claire et pour l'autorité de l'Église, d'une forme de vie qui émane de François lui-même. Même si tel n'est pas strictement le fait historique, sont affirmés par là et le lien originel avec l'expérience de François et l'originalité d'un nouveau type de vie religieuse féminine.

Cette *Règle* en son entier, une partie du *Testament* (56-77), des conseils sur le jeûne donnés à Agnès de Prague (*3 LAg* 29-41), révèlent chez Claire, au terme d'une expérience de vie communautaire de près de quarante ans, un génie d'organisation à la fois radicale, réaliste, souple et libre.

De prime abord, la *Règle* se présente comme une chaîne de citations ; sa trame est constituée par la 2ᵉ Règle de François reprise presque entièrement, avec de larges emprunts à la Règle d'Hugolin et quelques passages de la Règle de saint Benoît. Pourtant les textes propres à Claire forment à peu près la moitié de la *Règle,* et même s'ils visent des situations traitées par d'autres textes législatifs, ils expriment souvent des orientations originales.

a. Liberté vis-à-vis de ses sources

Claire reprend la *2 Reg* de François à l'exception d'un seul chapitre (9 : des prédicateurs) ; elle en cite deux intégralement (6 et 10) et neuf autres partiellement. Ce qui ne s'applique pas aux femmes et à leur genre de vie est évidemment laissé de côté, mais il y a aussi des omissions intentionnelles significatives comme réparation de vêtements, mépris pour des gens riches (*2 Reg* 2, 16-17 ; *RegCl* 2, 24), usage de l'argent (*2 Reg* 4 ; *RegCl* 8, 11), commandement de l'amour des ennemis (*2 Reg* 10, 10 ; *RegCl* 10, 12) ; des ajouts de caractère spirituel — mention de Marie après Jésus (*RegCl* 12, 13) — ou concret (*RegCl* 10, 6b-7 ; *2 Reg* 10, 7).

Fait remarquable, cette liberté joue toujours en faveur d'un élargissement et d'une plus grande souplesse. Quelques exemples le montreront. François autorise les frères à «rapiécer leurs vêtements de sacs et d'autres pièces» (*2 Reg* 2, 16) ; Claire ne reprend pas cette recommandation et accorde aux sœurs jusqu'à trois tuniques et un manteau, ainsi que des

vêtements de travail. Plus importante est l'autorisation d'utiliser de l'argent (*RegCl* 8, 11), alors que pour François ce fut
l'abomination totalement exclue (*1 Reg* 8 ; *2 Reg* 4). De même,
tout en refusant des possessions et des revenus, Claire
considère comme normal d'avoir un terrain suffisant pour
l'isolement du monastère (*RegCl* 6, 14 ; *TestCl* 53-55). Il n'y a
que sur le point du jeûne que Claire se montrera plus
exigeante que François (*RegCl* 3, 8-9 ; *2 Reg* 3, 5-9).

Par rapport à la Règle d'Hugolin, la largeur de vue de
Claire est encore plus évidente. Pour les sorties du monastère,
le texte d'Hugolin affirme absolument : les sœurs « doivent
rester enfermées tout le temps de leur vie ; ... désormais nulle
permission ou faculté de sortir ne leur est accordée », sauf le
cas d'une nouvelle fondation (*Reg.Hug.* 4) [24]. En regard de ce
texte, la prescription de Claire : « Désormais il ne lui sera plus
permis de sortir hors du monastère sans cause utile, raisonnable, manifeste et approuvable » (*RegCl* 2, 12), apparaît
d'une ouverture étonnante. De même, si le silence est
perpétuel chez Hugolin (*Reg.Hug.* 6), il est très souple dans la
Règle de Claire (*RegCl* 5, 1-4). Même le jeûne, pourtant
rigoureux chez Claire (*RegCl* 3, 8-11), comparé à la rigueur de
la Règle d'Hugolin (*Reg.Hug.* 7), apparaît bien modéré. Les
prescriptions relatives à la grille et aux entrées dans le
monastère sont, elles aussi, plus larges que chez Hugolin.
Ainsi le voile suspendu à la grille est enlevé lors des
célébrations ou pour les conversations à la grille — fort
limitées par Hugolin — (*Reg.Hug.* 11 ; *RegCl* 5, 10), ce que
Hugolin interdit absolument. De même, le prêtre peut entrer
dans le monastère non seulement pour le viatique
(*Reg.Hug.* 11), mais « pour communier les sœurs, bien portantes ou malades » (*RegCl* 3, 15).

Un autre exemple de la liberté de Claire est l'usage qu'elle
fait d'un passage de la Règle de S. Benoît (*Reg.Ben.* 54,
2-3) [25]. Alors que celui-ci, dans le cas d'un cadeau offert à un
frère, réserve à l'abbé et la décision et le choix du destina-

24. La Règle d'Hugolin (texte latin) publiée dans I. OMAECHE-
VARRÍA, *Escritos de Santa Clara y documentos complementarios*,
Madrid 1982², p. 206-232.
25. *Règle de saint Benoît* (*Sources Chrétiennes*, 181-186), Paris
1971-1972.

taire, tout en exhortant le frère à ne pas s'attrister si le don
échoit à un autre, Claire, tout en reprenant les termes mêmes
de Benoît, leur fait dire tout autre chose. L'abbesse fera
donner le cadeau à la sœur à qui il est destiné; à celle-ci de
juger à qui le donner, si elle n'en a pas besoin (*RegCl* 8,
9-10). Consigne qui manifeste chez Claire une extraordinaire
confiance dans le discernement de ses sœurs.

b. *Traits originaux*

1. Ordre domestique

Les Règles de François ne connaissent pas d'ordre du jour;
vivant dans une communauté sédentaire importante (une
trentaine de femmes), Claire se doit d'organiser le silence
(*RegCl* 5, 1-4), le travail (*RegCl* 7, 1-5), les contacts avec les
gens (parloir et grille: *RegCl* 5, 5-17), les entrées dans le
monastère (*RegCl* 11, 7-11). En cela rien que de normal,
encore que cette réglementation soit beaucoup moins rigide
que dans la Règle d'Hugolin observée dans le monastère de
Saint-Damien entre 1218 et 1247. Il serait intéressant de
comparer ces prescriptions avec celles des monastères féminins
de l'époque, ce qui n'est pas aisé à défaut de textes
accessibles. Déjà dans ce domaine la modération de Claire est
frappante, même par rapport au jeûne, dont la pratique doit
être comprise à la lumière des consignes données à Agnès
(*3 LAg* 29-41). Relevons encore les prescriptions sur la confession (12 fois par an au moins) et surtout sur la communion
(7 fois dans l'année), rareté qui surprend, mais qui doit être
située au temps du Concile de Latran IV qui a dû rappeler
aux chrétiens l'obligation de la communion pascale annuelle.
De tels traits situent le texte dans la vie de l'Église du début
du XIIIe siècle.

2. «Celle qui est dans l'office des sœurs»

Ce qui est le plus intéressant et le plus neuf dans la *Règle*
de Claire, c'est sa conception de la communauté et de ses
structures.

Si elle a accepté, à contrecœur et poussée par François [26], le

---

26. Au témoignage du Procès de canonisation (Premier témoignage, 6), dans *Archivum Franciscanum Historicum* 13 (1920),

titre et la fonction d'abbesse pour s'aligner sur la Règle de
S. Benoît qui conférait à sa communauté un statut reconnu,
elle considère cet office comme un service évangélique. Le
titre d'abbesse n'apparaît d'ailleurs que dans la *Règle* où il vise
celle qui succédera à Claire (45 emplois). Dans le *Testament*
ou dans les *Lettres,* Claire ne se donnera jamais ce nom ; elle
s'appellera tantôt *ancilla (*11 fois), tantôt *mater* (4 fois), *famula*
(3 fois) ou *serva* (1 fois). Appuyée sans doute sur sa pratique
personnelle et reprenant les termes de François, elle recommande à l'abbesse que les «sœurs puissent lui parler et agir
avec elle comme des dames avec leur servante. Car il doit en
être ainsi : que l'abbesse soit la servante de toutes les sœurs»
(*RegCl* 10, 4-5). Plutôt qu'une autorité de domination,
l'abbesse manifestera à ses sœurs une tendresse maternelle,
«elle consolera les affligées», sera «l'ultime refuge pour celles
qui sont dans la tribulation» (*RegCl* 4, 11-12), et se tiendra à
la tête des autres par ses vertus plus que par son office
(*RegCl* 4, 9 ; *TestCl* 61). Il lui est rappelé par trois fois qu'elle
est soumise aux exigences de la vie commune comme les
autres sœurs (*RegCl* 4, 13-14 ; 5, 8 ; 8, 21). Les sœurs lui
doivent sans doute l'obéissance (*RegCl* 10, 2-3 ; *TestCl* 67-68),
mais c'est leur charité, leur humilité et leur unité (*TestCl* 69)
qui répondront le mieux à cette exigence. Dans la communauté il y a des faiblesses : des malades, des jeunes, des sœurs
qui servent ; à leur égard l'abbesse sera large et miséricor-
dieuse (*RegCl* 3, 10). Mais il y a aussi des tensions, des
conflits, le péché. Une large partie du chapitre 9 traite des
moyens de gérer ces problèmes (9, 1-10). Les versets 6 à 10
sont particulièrement remarquables ; partant des coutumes
monastiques (par exemple dans la Règle de S. Benoît 71, 6-8),
Claire leur apporte un éclairage et une motivation profondé-
ment évangéliques : la réconciliation et la demande du pardon
ont la priorité sur la prière, et cette prière s'adresse d'abord à
l'offensée, qui elle aussi est interpellée sur sa promptitude à
pardonner. Ce texte est beau non seulement dans son
contenu, mais dans sa forme particulièrement travaillée et
soignée.

p. 443 (traduction française dans *J'ai connu Madame sainte Claire,*
Paris 1961, p. 29), et de la *Legenda sanctae Clarae virginis,* 12 (voir
I. OMAECHEVARRÍA, *op. cit.,* p. 146).

La même conception et la même préoccupation s'expriment encore dans le *Testament*. Celui-ci est tout polarisé, il est vrai, par une très haute conscience de la vocation particulière des Sœurs Pauvres, vocation dont les deux composantes originelles : lien au mouvement franciscain et pauvreté, sont affirmées et défendues avec vigueur. Mais vers la fin du discours (56-70) émerge un troisième centre d'intérêt : la communauté. C'est dire l'importance de ce thème dans la vision de Claire. Les sœurs doivent « s'aimer les unes les autres de la charité du Christ et montrer au dehors, par des actes, l'amour qu'elles ont au dedans » (*TestCl* 59). C'est sur ce fond d'amour mutuel qu'est présentée de nouveau, en mots identiques à ceux de la *Règle (RegCl* 4, 10), la figure idéale de « celle qui sera dans l'office des sœurs » (*TestCl* 61 : on remarquera que le mot abbesse n'est pas utilisé). Elle sera prévoyante, de bon jugement, et surtout bienveillante et accessible (63.65).

3. La démocratisation

Mais là où se manifeste au mieux une originalité, est ce qu'on pourrait appeler la démocratisation du régime de la communauté. Fille de son temps — le temps des communes libres où, en principe, tous les citoyens ont voix au chapitre —, Claire l'est bien plus que François, dont les indications sur le régime de la vie communautaire n'ont rien de particulièrement démocratique : le rôle du ministre, dans les *Règles* et le *Testament*, est très « monarchique ». Ce sont toutes les sœurs qui sont appelées à intervenir : « l'abbesse et ses sœurs » (*RegCl* 2, 9-10), « toutes ses sœurs » (*RegCl* 4, 17 ; 8, 14), « l'abbesse ou les autres sœurs » (*RegCl* 8, 12 ; 9, 1.5). Responsabilité qui devient même statutaire, puisque, au moins en quatre occasions (admission des novices : 2, 1 ; élection de l'abbesse ou sa déposition : 4, 1.7 ; dettes : 4, 19 ; élection des officières et des discrètes ainsi que leur changement : 4, 22.24), les décisions doivent être prises « du commun consentement de toutes les sœurs » (*RegCl* 2, 1 ; 4, 19.22). L'abbesse est secondée par une vicaire — un nom, semble-t-il, original, alors que la fonction correspond en partie à celle de la prieure de la tradition bénédictine —, qui représente une figure importante, puisqu'elle est mentionnée 9 fois dans la *Règle*. Encore plus originale est l'institution des « discrètes », dont c'est, à notre connaissance, la première mention historique. Au nombre de huit, elles forment un conseil restreint que l'abbesse est tenue de consulter « en ce que requiert la forme de notre vie » (*RegCl* 4, 23 ; autre cas : *RegCl* 8, 11). Rien de tel n'est envisagé dans la Règle d'Hugolin, et même la Règle de S. Benoît qui connaît pourtant le chapitre (*consilium* de tous les frères : *Reg.Ben.* 3, 1-5) et demande à l'abbé, pour les affaires de moindre importance, de prendre conseil des anciens (*Reg.Ben.* 3, 12), laisse à l'abbé seul la décision.

Si sur le point de la pauvreté la forme de vie de Claire est véritablement révolutionnaire par rapport aux structures économiques et sociales de la vie religieuse du XIIIe siècle, il faut en dire autant de sa conception de la communauté et de l'autorité. Cette dernière est présentée vraiment et concrètement comme un service : les sœurs sont « les dames » et l'abbesse « la servante », dans le plus pur esprit évangélique et suivant en cela les rappels de François, surtout *1 Reg* 4, 6 et 5, 9-12. Cela n'est pas nouveau par rapport à l'évangile, mais le reste par rapport à l'époque de Claire et à toutes les époques. Sa conception de la communauté, où les sœurs doivent « se chérir et se nourrir avec plus d'affection qu'une mère chérit et nourrit sa fille charnelle » (*RegCl* 8, 16), est aussi une mise en pratique, rare à son époque, de la coresponsabilité de toutes dans la vie et la marche de la communauté. Et cela même plus nettement que chez François.

La première femme « législateur » ne manque ni d'expérience, ni d'originalité, ni d'audace humaine et évangélique.

3. Une spiritualité christique et nuptiale

L'examen des deux points qui précèdent fait surgir une question. La vie de Claire et de ses sœurs est considérée comme une vie contemplative. Or jusqu'ici, dans ce qui a été présenté, ce thème n'apparaît guère. Les écrits de Claire semblent davantage, sinon complètement, centrés sur la pauvreté, le lien à l'Ordre, la communauté. Quelle place occupe alors chez elle la vie contemplative ?

Pour répondre à la question posée en ces termes, il faut d'abord dissiper quelques malentendus. Lorsque nous parlons aujourd'hui de la vie contemplative, nous entendons par là un genre de vie matériellement séparé du monde et faisant du silence, de la solitude, surtout de la prière, son centre de gravité.

Bien entendu, ces éléments se retrouvent chez Claire : interdiction des sorties et des entrées au monastère, restriction dans les conversations, silence, jeûne. Par là, les sœurs de Saint-Damien entrent évidemment dans la catégorie des moniales, et leurs règlements restrictifs sur les sorties et les entrées s'insèrent dans la tendance rigoureuse générale qui apparaît à cette époque dans la vie religieuse féminine et finira par être imposée à l'ensemble des moniales.

Ceci étant dit, on reste étonné par le peu d'insistance directe de la *Règle* et du *Testament* sur ce que l'on appelle aujourd'hui la dimension contemplative. Certes la *Règle* reprend purement et simplement à la Règle de François les deux phrases clés où est affirmée la primauté « de l'esprit de sainte oraison et de dévotion » (*RegCl* 7, 2) et où il est dit que les sœurs « doivent par-dessus tout désirer avoir l'Esprit du Seigneur... et le prier toujours d'un cœur pur » (*RegCl* 10, 9-10). Dans les passages propres à Claire, s'exprimeront avec force son souci de la pauvreté et sa conception de la communauté, mais, à part quelques motivations spirituelles (*RegCl* 2, 24), rien ne sera dit explicitement sur la contemplation. Le *Testament* qui, évidemment, n'avait pas à tout dire, sera encore plus silencieux sur ce thème, alors que par ailleurs, surtout dans ses premières lignes, il se présente comme une hymne d'action de grâces à Dieu.

Certes, les *Lettres* à Agnès vont révéler chez Claire et chez sa correspondante une dimension spirituelle d'une très grande profondeur — que nous allons examiner —, mais la question soulevée nous oblige peut-être à modifier notre vision des choses. L'approche de Claire est très explicitement évangélique : Dieu et son Christ en sont le centre, mais aussi l'amour du prochain et l'obéissance aux exigences radicales [27]. Les perspectives spirituelles sont globales ; on ne peut pas dire qu'il y ait chez elle une concentration « contemplative » au sens que prendra ce terme à partir de la tradition carmélitaine au XVIᵉ siècle. Le cœur tourné vers Dieu est la force

---

27. Des réflexions judicieuses sur ce point de J. GARRIDO, *La forma de vida de Santa Clara*, Aranzazu 1979, p. 262-272.

unificatrice d'une vie où interviennent tous les autres éléments, sur lesquels Claire insiste davantage parce qu'ils sont davantage menacés.

Ce sont surtout les *Lettres* à Agnès qui vont nous faire percevoir quelque peu l'expérience spirituelle de Claire. Elles le feront indirectement, puisque jamais Claire ne se livrera elle-même ; c'est d'Agnès qu'elle parlera quand elle décrira l'union avec le Christ.

M'appuyant principalement sur ces *Lettres,* mais aussi sur d'autres passages des écrits, je tenterai, dans cette partie, de présenter une vision de l'homme, de Dieu, du Christ, de l'Église, telle qu'elle s'y dessine, clairement ou en filigrane.

a. La plus digne des créatures

L'homme, «la plus digne des créatures», plus grand que le ciel, est capable de porter et de contenir Dieu lui-même (*3 LAg* 20-22). Bien que «pauvre et indigent, souffrant l'extrême manque de nourriture céleste», il devient riche, une fois entré en possession du royaume céleste (*1 LAg* 20). Comme Agnès, soutenue par la puissance de la Sagesse de Dieu, l'homme peut alors «supplanter d'une manière terrible et inopinée les astuces de l'ennemi rusé» (*3 LAg* 6). Il y a quelque chose de décidé, de combatif et de vainqueur dans cette façon de voir l'homme. On comprend mieux, dès lors, une sorte de jubilation qui se fait entendre aux premières pages du *Testament,* où Claire proclame l'appel adressé par le «Père des miséricordes» à elle et à ses sœurs. Elle chante les «immenses bienfaits de Dieu», sa «vocation parfaite et grande» (*TestCl* 1-6), l'appel «à de si grandes choses» (21) : être «miroir et exemple» et pour les sœurs à venir et pour tous les hommes (19-21). Elle qui, sur son lit de mort, parlait «à son âme bénie» et bénissait Dieu de l'avoir créée [28], n'hésite pas à rappeler à ses sœurs le devoir si important et si rarement souligné de s'aimer elles-mêmes : «soyez toujours des amantes de vos âmes» (*BCl* 14).

Pour tout cela elle entonne une action de grâce éperdue :

28. Procès de canonisation (Troisième témoignage, 20.22), dans *Archivum Franciscanum Historicum* 13 (1920), p. 456-457 (traduction française dans *J'ai connu Madame sainte Claire,* Paris 1961, p. 49-50).

« nous devons rendre des actions de grâces au glorieux Père
du Christ» (*TestCl* 2); «nous devons considérer... les immenses bienfaits de Dieu qui nous ont été conférés» (*TestCl*
6), ainsi que « la très grande bienveillance de Dieu pour nous»
(*TestCl* 15); «nous sommes tenues de beaucoup bénir et louer
Dieu» (*TestCl* 22).

Il se dégage de ces lignes une image de l'homme positive,
optimiste; l'insistance sur la fragilité et la corruption de
l'homme, si marquée dans les écrits de François (*1 Reg* 22, 6;
23, 8), n'apparaît guère dans ceux de Claire.

Elle insiste cependant fortement sur la fidélité des sœurs à
son projet, après sa mort, comme si elle n'en était pas
absolument sûre (*TestCl* 38-39; *RegCl* 6, 11-15). La nécessité
de persévérer leur est inculquée: «parce que resserrés sont la
voie et le sentier et qu'étroite est la porte par laquelle on va
et entre dans la vie, peu nombreux sont ceux qui marchent et
entrent par elle; mais ils sont bienheureux, ceux à qui il fut
donné... d'y persévérer jusqu'à la fin» (*TestCl* 71-73.78; *BCl*
5).

b. *Je me réjouis de tant d'admirables joies*

A la première lecture, les *Lettres* à Agnès déroutent par
leur style compliqué, leur accumulation d'images, leur phrasé
torrentiel. Mais d'emblée on est frappé par une atmosphère de
joie et d'exultation. Cette joie jaillit chez Claire à la vue du
cheminement spirituel d'Agnès, princesse royale qui choisit
une vie de pauvreté radicale. Dès la première lettre le ton est
donné: «je me réjouis et j'exulte entendant votre renommée»
(*1 LAg* 3); «exultez beaucoup et réjouissez-vous, remplie
d'une joie immense et d'une allégresse spirituelle» (*1 LAg*
21); «nous nous réjouissons des biens du Seigneur qu'il opère
en toi» (*2 LAg* 25). La troisième lettre insiste encore
davantage sur cette joie; «joies du salut», tel est le premier
souhait (*3 LAg* 2): «j'en suis remplie de tant de joie et je
respire d'autant plus en exultant dans le Seigneur» (*3 LAg*
3-4). «Je puis me réjouir et personne ne pourrait me rendre
étrangère à tant de joie» (*3 LAg* 5). «Je me réjouis de tant
d'admirables joies, et toi aussi réjouis-toi dans le Seigneur...
et que ne t'enveloppent ni l'amertume ni le brouillard,... ô
dame... joie des anges» (*3 LAg* 9-11). La dernière lettre

écrite vers la fin de la vie de Claire reprend le même thème : « je me réjouis et j'exulte avec toi dans la joie de l'Esprit... parce que tu as été merveilleusement fiancée à l'Agneau immaculé..., ayant délaissé toutes les vanités de ce monde » (*4 LAg* 7-8). Cette joie où s'épuisent presque tous les mots du vocabulaire qui la désignent (*gaudium, gaudeo* : 16 fois ; *felix, felicitas, feliciter* : 7 ; *exsulto, exsultatio* : 5)[29] n'a pas pour objet Claire, mais Agnès : c'est parce que celle-ci se décide, s'engage, surmonte les obstacles et court sur le chemin évangélique (description légère et poétique de la course en *2 LAg* 12-13), que Claire, par une empathie profonde, déborde d'allégresse. La croissance de l'autre est sa propre croissance.

De pair avec cette joie suscitée par le bonheur de l'autre, Claire manifeste dans ses écrits, à l'égard de ses sœurs et surtout à l'égard d'Agnès, une tendresse de femme, sœur et mère. Sa *Bénédiction* comporte un passage ému : « je vous bénis durant toute ma vie et après ma mort, comme je peux, de toutes les bénédictions dont le Père des miséricordes a béni et bénira ses fils et filles au ciel et sur la terre, et dont un père et une mère spirituelle a béni et bénira ses fils et filles spirituelles » (*BCl* 11-13). Dans les *Lettres,* cette tendresse éclate : « je ne veux pas te charger de paroles superflues, bien que rien ne te paraisse superflu de ce qui pourrait t'apporter quelque consolation » (*2 LAg* 8-9). Claire s'adresse à Agnès comme « à la sœur à aimer avant toutes les mortelles » (*3 LAg* 1), et dans la quatrième lettre, qui est un adieu, elle laisse déborder son amitié : Agnès est « la moitié de son âme, le réceptacle singulier de son cœur, mère et fille » ; dans les entrailles de Claire-mère, brûle pour elle suavement l'incendie de la charité (*4 LAg* 4-5) ; elle « a inscrit l'heureuse mémoire d'Agnès de façon indélébile sur les tablettes de son cœur, la tenant pour plus chère entre toutes » (*4 LAg* 34). Les dernières lignes de la lettre valent la peine d'être citées en entier :

« Que dire de plus ? Que dans la dilection de toi, se taise la langue de la chair ; ou plutôt, que parle la langue de l'esprit. Ô fille bénie, puisque la dilection que j'ai pour toi, la langue de la chair ne pourrait en aucune façon l'exprimer plus pleinement, ce que je t'ai écrit incomplètement, je te prie de

29. Cf. J.-F. GODET et G. MAILLEUX, *op. cit. (supra,* p. 33, n. 5).

le recevoir avec bienveillance et dévotion, considérant en cela
au moins mon affection maternelle, par laquelle tous les jours
je suis affectée de l'ardeur de la charité envers toi et tes
filles» (*4 LAg* 35-37).

S'il faut faire la part d'une certaine rhétorique, propre à
l'époque, un souffle authentique d'amitié et de tendresse passe
à travers cette déclaration d'amour.

c. La douceur que ressentent les amis

Telle est la vision de l'homme qui ressort des écrits de
Claire. Vision saine, optimiste, ouverte à la joie et à la
tendresse d'amitié.

Mais, comme dans tous les écrits spirituels, ce qui occupe la
première place, c'est évidemment une certaine façon de voir
Dieu et les rapports que l'homme peut nouer avec son
mystère. Après l'anthropologie, c'est de la théologie de Claire
qu'il convient de parler, en redonnant à ce terme sa
signification première: parole sur Dieu.

Certes, étant donné et le petit nombre d'écrits et leur
caractère circonstanciel, il ne faut pas s'attendre à y trouver
une vision large et complète. A l'évidence, s'adressant, surtout
dans ses *Lettres*, à une femme de sang royal, comblée et riche,
sur le point de renoncer au mariage et de choisir la pauvreté,
Claire envisagera ses liens avec le Christ sous la forme des
épousailles spirituelles. Cependant, malgré ce choix privilégié
qui est de circonstance, d'autres thèmes de l'union apparais-
sent dans les *Lettres*, et le *Testament* se présente sur un fond
de liturgie d'action de grâces célébrée devant le «Père des
miséricordes».

1. Image de Dieu

Les quelques traits du mystère de Dieu présentés dans la
Règle sont pris de la Règle de François; c'est donc dans le
Testament que Claire exprimera au mieux sa propre image du
«très haut Père céleste» (*RegCl* 6, 1; *TestCl* 24), qu'elle
appellera avec prédilection: «Père des miséricordes» (*2 Co* 1,
3; 3 emplois: *TestCl* 2.58; *BCl* 12) en insistant sur «son
abondante miséricorde, son amour» (*TestCl* 16.24), sa grâce
(*TestCl* 24). Comme François (*1 Reg* 23, 8), elle redira que
c'est par «la seule miséricorde et la grâce» de Dieu (*TestCl*

58), non par les mérites de l'homme, que s'accomplit le bien. Avec force le *Testament* affirme l'initiative « du glorieux Père du Christ » (*TestCl* 2) ; tout vient de sa largesse : l'appel à marcher sur la voie ; cette voie même qui est le Fils de Dieu ; François qui y conduit Claire et ses sœurs (*TestCl* 2-5). Le « Seigneur » du *Testament*, Dieu et Père, est celui qui éclaire le cœur de Claire, met François sur sa route, la pousse à la conversion, lui donne des sœurs (*TestCl* 24-26), la mène à Saint-Damien, multiplie la communauté (*TestCl* 30-31). C'est bien « le Seigneur Père » qui a engendré dans l'Église « le petit troupeau » de « Damianites » (*TestCl* 46) ; c'est à ce « Père de notre Seigneur Jésus-Christ » (*TestCl* 77 ; *2 Co* 1, 3) que, fléchissant les genoux, Claire demande l'accroissement et la persévérance finale (*TestCl* 78).

Le Christ, « Fils de Dieu qui s'est fait pour nous la voie » (*TestCl* 5), apparaît plus rarement dans le *Testament* et toujours comme modèle du choix évangélique de la pauvreté (*TestCl* 35.46). « Dieu déposé dans une crèche, qui vécut pauvre en ce siècle et nu est resté sur le gibet » (*TestCl* 45), il est le maître qui enseigne comment suivre la voie de la simplicité, de l'humilité et de la pauvreté (*TestCl* 56), il est (en *BCl* 7) le premier intercesseur auprès du Père.

Le *Testament* ne comporte qu'une seule — mais forte — mention de l'Esprit, lorsqu'il note « l'allégresse et l'illumination de l'Esprit-Saint » qui fait prophétiser François sur l'avenir des Sœurs Pauvres (*TestCl* 11). Les passages où il est question de l'Esprit sont du reste assez rares : l'expression très forte et peut-être théologiquement discutable [30] : « vous avez épousé l'Esprit-Saint » (*RegCl* 6, 3), est de François, comme aussi l'invitation à avoir « l'Esprit du Seigneur et sa sainte opération » (*RegCl* 10, 9). Il n'y a guère que deux passages des *Lettres* qui en parlent : c'est l'Esprit du Seigneur qui appelle Agnès à la perfection (*2 LAg* 14) ; c'est lui qui est la source de la joie et de l'exultation (*4 LAg* 7). Le mystère trinitaire n'est donc pas particulièrement souligné, comme c'est le cas dans les écrits de François [31].

30. O. van Asseldonk, « Maria, Sposa dello Spirito Santo secondo S. Francesco d'Assisi », dans *Laurentianum* 23 (1982), p. 414-424.
31. T. Matura, « *Mi Pater sancte,* Dieu comme Père dans les écrits de François », dans *Laurentianum* 23 (1982), p. 102-132.

2. L'expérience de l'union

Les *Lettres* à Agnès, si l'on met à part la consultation sur le jeûne (*3 LAg* 29-41), des passages exhortatoires sur le choix de la pauvreté (*1 LAg* 15-30) et sur la ténacité pour y rester fidèle (*2 LAg* 11-17), ainsi que le beau chant à l'amitié (*4 LAg* 35-37), se présentent essentiellement comme une description, à multiples facettes, de l'expérience spirituelle.

Il faut tenir compte du fait que cette description est faite en fonction de la correspondante de Claire. C'est une femme, une princesse, fiancée royale, qui choisit une vie de rupture et de pauvreté radicale. Ainsi s'expliquent et le style de cour et le choix des images féminines (miroir, atours, vêtements, fleurs) : tout cela étant par ailleurs enraciné dans la tradition biblique (Cantique des Cantiques) et liturgique (Légende de sainte Agnès [32] qui est un chant à la virginité chrétienne). Aussi l'image privilégiée sera l'image des noces, mais elle n'est pas la seule.

● Inhabitation divine

Une première image, qui combine deux textes johanniques (*Jn* 14, 21.23 ; François la privilégie encore davantage : *1 Reg* 22, 27 ; *2 LFid* 48), est celle de l'âme devenue, par la charité, «demeure et siège du Créateur» et, de ce fait, plus grande que le ciel (*3 LAg* 21-23). Cette image est la seule qui soit appliquée d'une façon générale à l'âme croyante. Tout le reste, qui suit, s'applique à Agnès.

● Le trésor caché et la contemplation divinisante

Agnès a trouvé, en s'engageant dans l'humilité, la foi et la pauvreté, le trésor enfoui au plus profond d'elle-même (son intériorité, son désir de Dieu ?) par lequel «on achète» Dieu lui-même (*3 LAg* 7). Elle est invitée à «poser, fixer son esprit

---

32. Le récit de la passion de sainte Agnès dont les passages les plus lyriques ont été repris dans l'office liturgique de la sainte (21 janvier), ainsi que dans le rituel romano-germanique de la consécration des vierges, se trouve dans la *PL* 17, c. 735-742. Il y figure sous la forme d'une lettre attribuée à saint Ambroise et adressée aux vierges consacrées (*virginibus sacris*). En fait il s'agit d'un texte composé à Rome vers 415 et remanié vers 500. Cf. A. Dufourcq, «Agnès, sainte», dans *Dictionnaire d'Histoire et de Géographie Ecclésiastiques* 1 (1912), c. 971-972.

sur le miroir de l'éternité, à poser son âme dans la splendeur de la gloire, à poser son cœur sur l'empreinte de la divine substance » (toutes, des images du Verbe glorieux). Ce regard, cette contemplation de la splendeur transforme celle qui s'y livre en l'image même de la divinité et lui fait « ressentir ce que ressentent les amis en goûtant la douceur cachée que Dieu réserve à ses amants » (*3 LAg* 12-14). On voit se profiler derrière cette conception le thème paulinien (*2 Co* 3, 18) de la transformation divinisante, si cher à la tradition orientale.

● Les liens relationnels avec Dieu

Cette approche générale (découverte du trésor caché, contemplation divinisante) sera particularisée par l'énumération des divers liens relationnels qu'Agnès nouera avec Dieu dans son mystère. Par rapport au Père elle sera « fille du Roi des rois, servante du Seigneur des seigneurs » (*2 LAg* 2 ; même expression utilisée par François en *RegCl* 6, 3). Du Fils elle sera mère (2 emplois : *1 LAg* 12.24), sœur (3 emplois : *1 LAg* 12.24 ; *3 LAg* 1), enfin épouse (7 emplois : *1 LAg* 12.24 ; *2 LAg* 1.24 ; *3 LAg* 1 ; *4 LAg* 1.4) ; relation, comme on le voit, privilégiée et par suite particulièrement développée. Si l'on excepte l'expression déjà mentionnée, « vous avez épousé l'Esprit-Saint », qui est de François (*RegCl* 6, 3), l'Esprit est évoqué comme source de joie (*4 LAg* 7) et éveilleur de la perfection (*2 LAg* 14).

● Agnès, mère du Christ

Poursuivant une tradition que l'on retrouve déjà chez les Pères et que François développe amplement (*2 LFid* 50-53), Claire décrit la maternité spirituelle d'Agnès. Comme Marie, elle peut « porter spirituellement dans un corps chaste et virginal celui par qui elle-même et toutes les choses sont contenues » (*3 LAg* 24-26).

● Époux et épouse : chant de noces

Sur huit passages des *Lettres* ébauchant l'expérience spirituelle, les cinq derniers sont consacrés à la description de l'union nuptiale (*3 LAg* 6-8 ; 10-19 ; 24-26 ; *1 LAg* 6-11 ; *2 LAg* 5-7 ; 18-20 ; *4 LAg* 8-15 ; 27-32). Manifestement, c'est là que l'on entend le mieux l'écho d'une expérience personnelle appliquée à Agnès. Claire s'y trouve à l'aise et laisse éclater, en un style poétique inspiré de la Légende de sainte Agnès, un véritable épithalame : chant d'amour à la beauté de l'époux et de l'épouse, qui rutile elle-même de pierreries et de splendeur (*1 LAg* 7-11). Dans la quatrième et dernière lettre, délaissant tout modèle littéraire, elle chantera d'une façon très personnelle le bonheur de celle qui, attachée de toutes les fibres de son cœur à l'époux, l'Agneau immaculé, est tout entière, par tous les sens de son corps et les facultés de son esprit, absorbée par la vision de la splendeur de cet époux (*4 LAg* 9-14). La même lettre célèbre, en recourant à l'audacieux langage érotique du Cantique des Cantiques, la consommation des noces, dans « d'indicibles délices, richesses, honneurs perpétuels » (*4 LAg* 28-32).

L'époux à qui s'unit ainsi l'épouse jubilante, c'est le Seigneur Jésus-Christ abaissé dans la pauvreté et la souffrance au cours de sa vie terrestre, mais demeurant, aujourd'hui et toujours, Fils du Père et Roi glorieux.

En utilisant, dans un sens dérivé, l'expression théologique courante aujourd'hui, on pourrait dire que Claire pratique à la fois la christologie descendante et la christologie ascendante. Le Seigneur Jésus-Christ est celui « qui régit le ciel et la terre, qui dit et les choses furent faites » (*1 LAg* 17) ; « un si grand et un tel Seigneur » (*1 LAg* 19) ; « Roi... qui siège glorieux sur un trône étoilé » (*2 LAg* 5) ; « Roi de tous les siècles » (*4 LAg* 2) ; « Souverain Roi » (*4 LAg* 17) ; « le plus beau des fils des hommes » (*3 LAg* 20) ; « miroir de l'éternité... splendeur de la gloire... effigie de la divine substance » (*3 LAg* 12-13), « dont le soleil et la lune admirent la beauté, dont les récompenses sont sans fin » (*3 LAg* 16), lui que « les cieux ne peuvent contenir » (*3 LAg* 18), « celui par qui toi et toutes choses sont contenues » (*3 LAg* 26) ; « Vérité » par excellence (*3 LAg* 23), enfin « splendeur de la gloire éternelle, l'éclat de la lumière éternelle et le miroir sans tache » (*4 LAg* 14), source de toute jouissance, comme le décrivent emphatiquement les v. 10-13 de *4 LAg*. Le Christ est donc vu, et cela regarde sans distinction et la préexistence du Verbe et son présent éternel, comme le Seigneur de gloire.

Parlant de l'abaissement de son existence terrestre, Claire ne se concentrera pas sur Jésus selon la chair, insistant exclusivement sur son humanité : en chaque cas il sera question du paradoxe de celui qui, tout en restant très haut et glorieux, assume la pauvreté, l'humiliation et la souffrance. Car il est aussi «le pauvre Crucifié qui pour nous supporta la passion de la croix» (*1 LAg* 13-14) ; «il n'a pas eu où reposer la tête, mais inclinant la tête il remit l'esprit» (*1 LAg* 18) ; il «voulut apparaître dans le monde méprisé, indigent et pauvre» (*1 LAg* 19) ; «il s'est fait méprisable... en ce monde... le plus vil des hommes, méprisé, frappé et sur tout le corps flagellé..., mourant dans les angoisses mêmes de la croix» (*2 LAg* 19-20) ; «il a été déposé dans une crèche et enveloppé de petits langes» (*4 LAg* 19.21) ; «il supporta des labeurs sans nombre et des peines..., a voulu souffrir sur le poteau de la croix et mourir là du genre de mort le plus honteux de tous, à cause de son ineffable charité» (*4 LAg* 22-23).

Si, dans ce regard porté sur Jésus terrestre, on remarque l'insistance sur la crèche et la croix, insistance plus forte que chez François et davantage marquée par la piété du temps, l'équilibre entre le mystère divin et l'humanité est maintenu. L'époux à qui Agnès s'unit n'est pas l'enfant de la crèche ni l'homme des douleurs, mais le Roi céleste qui, au temps de sa course terrestre, à cause «de son ineffable charité» a voulu assumer la condition de pauvre, d'humilié et de souffrant.

● Jouissance et récompense
La description de la rencontre et de l'union avec l'époux baigne dans une atmosphère de joie, de lumière et de jouissance. Cela frappe déjà dans le poème qui ouvre la première lettre (7-11), où l'on ne sait qui admirer le plus, l'époux ou l'épouse. Davantage encore dans *4 LAg*, où est décrite la jouissance de celle qui a part au banquet de l'amour : «l'affection de l'époux affecte, la contemplation refait, la bienveillance comble, la suavité remplit, la mémoire brille suavement ; à son odeur les morts revivent, sa vision rend bienheureux...» (9-13). C'est tout l'être de l'aimée, ses sens (regard, toucher, odorat) et ses facultés spirituelles (affectivité, mémoire) qui nagent dans le bonheur. Plus loin dans la même lettre, il sera question «des indicibles délices, des richesses et des honneurs perpétuels» de l'époux, «des

soupirs dans le désir et l'amour extrême du cœur» (*4 LAg*
28-29). Lorsque François parlera de Dieu dans ses prières
(surtout les Louanges de Dieu et le chapitre 23 de *1 Reg*,
v. 9-11), il dira aussi comment Dieu est, en lui-même, la
suprême joie et suavité de l'homme, mais il ne parlera pas de
ce que l'homme éprouve à sa visite. Claire est sur ce point
différente ; elle décrira les vibrations de la subjectivité humaine, quand celle-ci est sous l'emprise de Dieu et qu'elle
«éprouve le divin».

On trouve encore chez Claire une très grande insistance sur
la récompense à venir (*1 LAg* 23). Ainsi, la pauvreté procure
à ceux qui l'aiment «les richesses éternelles, le royaume des
cieux, la gloire éternelle et la vie bienheureuse» (*1 LAg*
15-16). Si les biens temporels sont laissés, c'est pour les biens
éternels, les biens terrestres pour les célestes, «pour un, on
reçoit cent et la bienheureuse vie perpétuelle» (*1 LAg* 30). La
souffrance débouche sur le règne, la tristesse se change en
joie, la mort ouvre les splendeurs des saints et les demeures
célestes ; le nom d'Agnès est inscrit au livre de la vie et sera
glorieux parmi les hommes. Bref, «pour l'éternité et les siècles
des siècles, en échange des biens terrestres et périssables,
Agnès prendra part à la gloire du royaume et à la vie
éternelle» (*2 LAg* 21-23). Le thème de récompense comme
celui de jouissance est donc fort marqué ; Claire représente ce
qu'on pourrait appeler une «spiritualité du plaisir»: il n'est
pas possible d'accepter la souffrance et des exigences dures,
sinon parce que ce que déjà l'on expérimente et surtout ce
que l'on attend, est l'assouvissement du désir fondamental de
bonheur de l'homme.

3. Esquisse d'une méthode

Deux passages des *Lettres* à Agnès esquissent une démarche
spirituelle assez structurée, qui prélude à ce que seront plus
tard des méthodes de prière et de contemplation.

Le premier texte (*2 LAg* 18-23) se déploie en trois étapes :
1) il invite d'abord à un mouvement de volonté et d'affection :
devenue pauvre, embrasse le Christ pauvre, méprisé, souffrant, lui qui est pourtant «le plus beau des fils des hommes» ;
2) vient ensuite la fixation de l'être entier sur cet époux
merveilleux : il faut poser sur lui son regard, réfléchir,

regarder longuement *(intuere, considera, contemplare)*, pour 3) déboucher sur l'action portée par le désir: à savoir l'imitation *(desiderans imitari)*. La communion au destin de souffrance et de mort du Christ conduit à un aboutissement inouï: règne, joie, demeure céleste, nom inscrit dans le livre de vie.

L'autre texte *(3 LAg* 9-17) présente une démarche où l'on discerne cinq éléments. Au départ, c'est une affirmation de la *joie* d'avoir reçu l'appel évangélique et d'y avoir répondu (2 fois le mot *gaudium*; 2 fois *gaudeo* en 3 versets: 9-11). Et de nouveau retentit l'invitation par trois fois répétée de poser l'esprit, l'âme et le cœur sur la lumière du Verbe (remarquer les mots *speculum, splendor, gloria, figura, imago:* v. 12-13). Une telle contemplation mène à la *transformation divinisante* (13) et fait *ressentir la douceur* que ressentent les amis (14), douceur dont la racine est l'*amour* de celui qui pour notre amour s'est donné tout entier (15-17).

Par certains côtés Claire est plus proche de saint Bonaventure et de la réflexion spirituelle qu'il développera que de François, dont les écrits sont en un sens plus objectifs et la démarche moins structurée, moins réflexe.

d. Dimension mariale et ecclésiale

Lorsque Claire emprunte à la Règle de François le passage fondamental sur l'observance de la pauvreté, de l'humilité et du saint évangile du Christ *(RegCl* 12, 13; *2 Reg* 12, 5), elle y ajoute la mention de «sa très sainte mère». Elle la mentionne encore à côté de son Fils au début de sa *Règle* (2, 24), comme le fait François dans la dernière volonté adressée à Claire *(RegCl* 6, 7). Le *Testament* en parle également par deux fois dans le même sens (46.75) et fait appel aux mérites et à l'intercession de Marie (77; cf. aussi *BCl* 7). Dans les *Lettres*, après une simple mention *(1 LAg* 24), un passage plus construit est consacré à Marie, mère et vierge, premier réceptacle, dans son corps, d'un Fils que les cieux ne pouvaient contenir. Agnès doit «s'attacher à cette très douce mère» *(3 LAg* 17-19; au v. 25 de la même lettre, il n'est pas clair si «suivre ses traces, d'humilité surtout et de pauvreté» se rapporte à Marie ou au Christ) — ce que la *Lettre à Ermentrude* accentuera dans le sens de la compassion («méditer les tourments de sa mère se tenant sous la croix» *LEr* 12). C'est donc, d'une part, la dignité de Marie portant Dieu dans «le petit enclos de son ventre» (*3 LAg* 19), sa pauvreté et son humilité d'autre part, qui retiennent l'attention de Claire.

Quant à l'Église, elle occupe chez Claire une place que surtout le *Testament* mettra en valeur. Déjà le début et la fin de la *Règle* sont non seulement encadrés par des interventions et des garanties de l'autorité ecclésiastique, mais Claire, reprenant sans les modifier les termes mêmes de la Règle de François, «promet obéissance et révérence au seigneur pape Innocent (IV) et à ses successeurs canoniquement élus et à l'Église romaine» (*RegCl* 1, 3). Au terme de la *Règle*, elle demande pour protecteur le cardinal délégué auprès des Frères Mineurs, «afin que, toujours soumises et prosternées aux pieds de cette même sainte Église, stables dans la foi catholique, nous observions perpétuellement la pauvreté et l'humilité... et le saint évangile» (*RegCl* 12, 12-13).

Ces formules affirment un lien entre l'expérience religieuse propre à Claire et l'Église dans ses instances romaines, mais elles résonnent aussi comme une demande: que l'Église favorise, appuie le projet proposé par Claire et qu'elle entend vivre librement.

Le *Testament* se fera l'écho d'une conception plus développée: il insistera sur la conscience de Claire et de ses sœurs d'avoir un rôle ecclésial. Déjà, quand il prophétise l'avenir des Sœurs Pauvres, François les voit «glorifiant le Père... dans toute sa sainte Église» (*TestCl* 14). Ce qui, comme l'explicitent les lignes suivantes, signifie que les sœurs sont placées «comme une forme, en exemple et miroir», d'abord pour les autres monastères des Sœurs Pauvres, ensuite pour ceux qui vivent dans le monde (*TestCl* 19-21) et en faveur de qui, par la seule miséricorde et la grâce de Dieu, l'odeur de leur bonne renommée est répandue (*TestCl* 58). Claire considère la communauté de Saint-Damien comme «le petit troupeau que le Seigneur Père a engendré dans sa sainte Église... pour suivre l'humilité et la pauvreté de son Fils et de la glorieuse Vierge» (*TestCl* 46). Comme elle l'a déjà fait dans le passé, quand elle demanda à Innocent III le privilège de la pauvreté (*TestCl* 42-43), elle recommande avec confiance, mais aussi avec une insistance inquiète, la réalisation de ce projet « à la sainte mère l'Église romaine, au souverain Pontife, au cardinal protecteur » (*TestCl* 44) ; c'est à eux d'encourager les sœurs et de les maintenir dans le choix qu'elles ont fait (*TestCl* 47). Ne pas y rester fidèle serait faire injure non seulement au Christ, à sa mère, à François, mais encore « à l'Église triomphante et même militante » (*TestCl* 75). Car, comme le souhaite Claire dans sa *Bénédiction*, les sœurs, croissant en grâce et en vertu, accomplissent un service dans cette « Église militante », en attendant d'être glorifiées « parmi les saints et les saintes de l'Église triomphante » (*BCl* 9-10).

Cette conscience d'un rôle que sa communauté joue dans l'Église, Claire l'exprimera d'une façon originale et forte dans une lettre à Agnès. La décision courageuse prise par Agnès, de rompre avec son genre de vie antérieur et de s'engager dans une vie de pauvreté évangélique, fait d'elle « comme une auxiliaire de Dieu et celle qui soulève les membres succombants de son corps ineffable » (*3 LAg* 8). Si l'expression « auxiliaire de Dieu » peut se recommander de saint Paul (*1 Co* 3, 9), celle qui voit en Agnès la femme qui tient et soulève les membres défaillants du corps du Christ, corps ineffable, est originale et suppose une intelligence profonde de la communion des saints. Toute décision de vie a une signification et une valeur ecclésiales.

Le sens de l'Église, l'attachement qu'elle lui voue, n'empêchent pas cependant, chez Claire, ce qu'on pourrait appeler la « résistance ». S'agissant du projet de vie qu'elle tient de François et qu'elle porte en elle, elle saura combattre et résister : l'histoire du privilège de la pauvreté et de l'approbation de la *Règle* en est l'illustration. Elle donnera ce conseil à Agnès : « ne crois rien, ne consens à rien qui voudrait te ramener de ce propos... » (*2 LAg* 14) ; et plus loin : « si quelqu'un te disait autre chose, te suggérait autre chose... bien que tu doives le vénérer, refuse cependant d'imiter son conseil » (*2 LAg* 17). Respecte, vénère, mais résiste et tiens bon !

III. DES CONCLUSIONS

Après une lecture des textes de Claire, où nous avons pu discerner un certain nombre d'axes qui en constituent la structure, il n'est pas exagéré de dire que ces écrits, réduits quant au nombre et à l'étendue, témoignent d'un esprit féminin vigoureux et original. Ces deux traits ont été relevés au cours des analyses qui précèdent, aussi n'y a-t-il pas lieu d'y revenir.

Ce qui, par contre, mérite d'être clarifié, c'est le rapport de Claire et de François, ainsi que la féminité que manifestent les textes de Claire.

Je n'ai pas l'intention d'aborder ici toute la question du lien entre Claire et François, tel qu'il peut être établi et étudié sur la base de l'ensemble des documents historiques. Je me contente de relever et d'interpréter ce qui se lit dans les textes de Claire, à savoir, d'une part, son lien avec François et, d'autre part, les différences de perspective de sa vision spirituelle.

1. Claire, «la petite plante de François»?

Le lien à François, ainsi qu'on l'a dit plus haut, est proclamé très haut par Claire et dans la *Règle* et dans le *Testament*. Dans celui-ci, comme déjà très officiellement dans la *Règle* et encore dans la *Bénédiction*, Claire s'appelle *plantula* (*RegCl* 1, 3 ; *TestCl* 37.49 ; *BCl* 6). L'insistance sur ce lien est telle qu'on éprouve un certain malaise ; comme si tout dans la vie de Claire, dans ses orientations et ses choix dépendait de François.

A cet égard, trois considérations peuvent être faites. En premier lieu, l'influence prépondérante de François sur le cheminement spirituel de Claire est indéniable. Ce qu'elle en dit dans le *Testament* ne majore pas les événements, mais les éclaire spirituellement par le dedans. Elle est vraiment la plantation chérie de François : dès leur première rencontre jusqu'à la mort de François, elle est la plante privilégiée, aimée, entourée de soins.

Outre cette impulsion fondatrice, un lien mystérieux d'amour-amitié s'est tissé entre cette femme et cet homme [33]. Ce lien n'est jamais désigné formellement dans les textes, mais il se lit derrière les lignes passionnées qui décrivent les rapports de Claire avec François et son mouvement. Pour la femme qui s'y exprime, ce lien est important et elle va le manifester par des traits de dépendance. Il ne faut pas oublier, non plus, que les textes sont écrits une vingtaine d'années après la mort et la glorification de François : celui-ci a tous les traits hagiographiques idéalisés, et le lien entre lui et Claire se trouve agrandi et transfiguré.

Enfin, il y a en cela un troisième aspect qu'on pourrait appeler diplomatique, Claire recourt à François pour les besoins de sa propre cause. Elle a à défendre un projet qui est d'elle, certes, mais aussi de François. Devant une autorité ecclésiastique trop prudente, peu encline à lui concéder une forme de vie radicale, elle fait jouer l'engagement et la volonté de François. Il est à remarquer, en effet, que dans les *Lettres* à Agnès, c'est à peine si François paraît — sous la figure du législateur — (*3 LAg* 30.36) ; il n'occupe aucune place dans sa vision spirituelle. Mais dans le *Testament* et la *Règle*, qui sont des écrits de combat, sinon polémiques, Claire fait reposer son argumentation et la défense de son idéal sur « notre bienheureux père saint François, notre fondateur, planteur et aide dans le service du Christ » (*TestCl* 48).

2. Différences entre Claire et François

Plusieurs fois au cours de cette introduction ont été notées les différences entre l'approche de Claire et celle de François. Nous y revenons ici pour les présenter d'une façon plus synthétique. Dès le départ il est cependant nécessaire de marquer les limites d'une telle comparaison. Elles tiennent principalement à l'étendue des écrits et à leur caractère occasionnel. Les écrits de François (une trentaine de pièces diverses) touchent, en gros, la plupart des thèmes anthropolo-

---

33. Sur l'amour à la fois humain et spirituel qui lie Claire à François, on lira M. BARTOLI, « Analisi storica e interpretazione psicanalitica di una visione di S. Chiara d'Assisi », dans *Archivum Franciscanum Historicum* 73 (1980), p. 449-472.

giques et théologiques. On peut en dégager une vue
d'ensemble assez complète [34]. Tel n'est pas le cas de ceux de
Claire ; plus limités, ils sont aussi plus centrés sur certains
thèmes particuliers et ne touchent à d'autres qu'en passant
(par exemple le mystère trinitaire, le rôle de l'Esprit) ou pas
du tout (la fragilité ou la corruption de l'homme). Cela se
comprend, étant donné la nature de ces écrits, mais cela rend
la comparaison plus délicate.

Considérons, en premier lieu, la forme. Laissant de côté
l'aspect proprement littéraire esquissé plus haut, venons-en à
l'atmosphère qui imprègne les textes de Claire. Quelque chose
de lumineux, de fort, de victorieux s'en dégage, alors que chez
François se lit comme une fragilité, une souffrance. Comme si
François avait souffert davantage, comme si, davantage blessé
par la vie, il en avait gardé une image plus sombre. Le
féminin ici paraît plus vigoureux, plus tenace, plus triomphal
que le masculin. Il y a chez Claire plus d'optimisme et de
clarté que chez François. Par ailleurs, l'aspect subjectif,
c'est-à-dire la description de ce que l'écrivain éprouve en face
de telle ou telle situation, est beaucoup plus marqué chez
Claire, surtout dans les *Lettres* à Agnès. Il suffit de comparer
les Louanges de Dieu de François aux différentes esquisses de
l'union nuptiale faites par Claire, pour s'en rendre compte.

Cela nous mène à la question de fond. Chez François
l'expérience chrétienne fondamentale est celle du Dieu trinitaire ; celle que privilégie Claire est l'union nuptiale christique.
Certes, François n'ignore pas cette approche (*2 LFid* 50-51),
mais elle n'est pas développée et n'occupe chez lui qu'une
place accessoire. En faisant une comparaison globale, on
pourrait dire que la spiritualité de François est « archaïque » :
plus proche de ses racines bibliques et liturgiques, plus
théocentrique, plus objective ; celle de Claire est « moderne »,
proche des courants spirituels de son époque, marquée par
saint Bernard et son mouvement.

---

34. Comparer à cet égard mon étude sur le contenu des écrits de
François, dans FRANÇOIS D'ASSISE, *Écrits* (*Sources Chrétiennes*, 285),
Paris 1981, p. 49-81.

3. La femme

La tentative de comparer Claire et François a fait entrevoir, par-delà les différences de personnalité, la part du féminin dans les écrits de Claire. C'est toute une sensibilité féminine que l'on y perçoit, non seulement dans l'usage des images (atours, vêtements, bijoux, miroir, etc.), mais encore dans une certaine façon de voir les êtres, de les approcher avec force, mais non sans séduction (voir la façon dont Claire s'adresse à l'Église et à l'Ordre dans son *Testament*). Sur cet arrière-fond se manifeste une sorte d'endurance, de longue patience dans le combat qui, tout en demeurant tenace, ne devient jamais agressif. Dans les *Lettres* surtout s'exprime avec éclat la tendresse et la joie d'une femme devant les choix et les avancées de son amie.

Les pages les plus poétiques et les plus spirituelles de ces *Lettres*, la description de l'époux et de l'épouse, se comprennent beaucoup mieux quand on sait qu'elles ont été écrites par une femme qui vit une telle expérience, *Clara luce clarior*.

Thaddée MATURA, o.f.m.

Les trois collaborateurs ont fait plus que composer et signer leur part respective. L'ensemble : texte, traduction, introductions, index, a été discuté et revu au cours de plusieurs rencontres.

Nous tenons à exprimer notre reconnaissance à tous ceux qui d'une façon ou d'une autre ont facilité notre travail. Et tout d'abord le P. C. Mondésert, directeur émérite de la collection Sources Chrétiennes, qui a bien voulu accueillir notre projet et nous encourager dans sa réalisation. Des Clarisses de France et de Belgique, par leur bienveillance fraternelle et leur aide financière, nous ont permis de mener à bien ce que nous avions entrepris. Fr. Engelbert Grau, O.F.M., et Sr. Chiara-Augusta Lainati, O.S.C., nous ont prodigué avec compétence et gentillesse conseils et documents. Dom Jean Leclercq et Sr. Lazare de Seilhac, O.S.B., nous ont fourni des renseignements utiles. Que tous soient remerciés d'avoir ainsi contribué à mieux faire connaître sœur Claire et son message.

TABLEAU CHRONOLOGIQUE

	CLAIRE et FRANÇOIS	MINISTRES GÉNÉRAUX	PAPES	CARDINAUX PROTECTEURS	ÉGLISE et MONDE
1181 ou 1182	Naissance de Jean Bernardone, surnommé François.		Lucius III (1181-1185) Urbain III (1185-1187) Grégoire VIII (1187) Clément III (1187-1191)		Frédéric Barberousse, empereur de 1152 à 1190. 1189-1192 : 3e croisade. Fondation des Chevaliers Teutoniques. 1190 : Mort de Frédéric Barberousse. Henri VI, empereur jusqu'en 1197.
1194	Naissance de Claire Offreduccio di Favarone.		Célestin III (1191-1198)		
1200	La famille de Claire trouve refuge à Coccorano.		Innocent III (1198-1216)		1198 : Les habitants d'Assise assiègent et détruisent la Rocca. Élection simultanée de Philippe de Souabe et Othon de Brunswick. Établissement de la commune à Assise. Origines de l'Université de Paris.

1202-1204	François est fait captif et détenu à Pérouse.	Guerre entre Pérouse et Assise. 4e croisade prêchée par Foulques de Neuilly. Mort de Joachim de Flore. *1203-1204*: Prise de Constantinople. Fondation de l'Empire latin d'Orient.
1204	Longue maladie de François.	Gengis Khan unifie la Mongolie, puis attaque la Chine.
1206	François renonce à ses biens et devient ermite-bâtisseur à Saint-Damien.	Dominique fonde le monastère féminin de N.-D. de Prouille. Innocent III approuve et mandate les prédicateurs mendiants (17 novembre).
1208	A la Portioncule, François entend l'évangile de la St-Matthias. Arrivée des premiers compagnons.	*1207*: Prédication de Dominique en Languedoc. Assassinat en France du légat Pierre de Castelnau (14 janvier). Le pape convoque une croisade contre les Albigeois (10 mars).
1209	François et ses compagnons vont à Rome. Innocent III approuve verbalement la règle.	
1210	Chassés de Rivo-Torto, les frères s'installent à la Portioncule.	
1211	François projette une mission en Syrie. Échec de ce projet. Claire rencontre François.	

	CLAIRE et FRANÇOIS	MINISTRES GÉNÉRAUX	PAPES	CARDINAUX PROTECTEURS	ÉGLISE et MONDE
1212	Dimanche des Rameaux : Claire reçoit l'habit de François à la Portioncule. Séjour de Claire aux monastères de Bastia et de S. Angelo di Panzo. 3-4 avril : entrée d'Agnès, la sœur de Claire. Fin avril-début mai : Claire s'installe à Saint-Damien.				Règle du Carmel. Arrivée de la croisade en Languedoc. Simon de Montfort prend Béziers et Carcassonne. Conquête de l'Italie par Othon IV. Innocent III l'excommunie. Frédéric II, roi de Sicile, est élu roi de Germanie.
1212-1215	*Formula vivendi* donnée par François à Claire.	François d'Assise (1209-1220)			Croisade des enfants. Victoire de Las Navas de Tolosa.
1213 (été)	Le comte Orlando di Chiusi donne l'Alverne à François. François part pour l'Espagne, mais ne dépasse pas la Provence.				

1215	Rencontre hypothétique de François et Dominique au concile. Claire prend le titre d'abbesse. Privilège de la pauvreté accordé par Innocent III à Saint-Damien.			*1214* Bouvines : victoire de Philippe-Auguste sur le roi d'Angleterre, le comte de Flandre et l'empereur. 4e concile du Latran (11 novembre). Condamnation des Cathares. Fondation des Dominicains. Grande Charte en Angleterre.
1216	François rencontre probablement Jacques de Vitry (juillet). François obtient d'Honorius III l'indulgence de la Portioncule.	Honorius III (1216-1227).		
1217	Chapitre de la Portioncule. Début des missions au-delà des Alpes et outre-mer.			Le cardinal Hugolin légat du pape en Toscane. *1217-1221* : 5e croisade.
1218-1219	Règle du cardinal Hugolin. Exemption pour Saint-Damien. Le cistercien Ambroise est nommé visiteur des Sœurs Pauvres.		Hugolin de Segni (1218/9-1227)	

	CLAIRE et FRANÇOIS	MINISTRES GÉNÉRAUX	PAPES	CARDINAUX PROTECTEURS	ÉGLISE et MONDE
1219	François part pour la Terre Sainte (fin juin) et rencontre le sultan (automne). Agnès, sœur de Claire, est abbesse à Monticelli. Frère Philippe, visiteur des Sœurs Pauvres.				Prise de Damiette.
1220	François résigne sa charge de ministre général et nomme Pierre de Catane. Ambroise, à nouveau visiteur des Sœurs Pauvres.	Pierre de Catane (1220-1221)			
1221	Mort de Pierre de Catane. Élie d'Assise lui succède. *Regula non bullata* des Frères Mineurs. Naissance de Bonaventure de Bagnoreggio.	Élie d'Assise (1221-1227)			Raids mongols en Russie.
1223	*Regula bullata*. Nuit de Noël à Greccio.				Mort de Dominique. Congrès de Ferentino : Frédéric II accepte de diriger la croisade.

1224	François reçoit les stigmates. Il entreprend une tournée de prédication dans les Marches et en Ombrie. Brunetto, prêtre séculier, visiteur des Sœurs Pauvres. Début de la maladie de Claire.				
1225	Presque aveugle, François séjourne à Saint-Damien où il compose le Cantique des Créatures (mars-mai). Il obtient la réconciliation de l'évêque et du podestat à Assise (juin).				Nouvelle ligue lombarde contre l'empereur. Naissance de Thomas d'Aquin.
1226	Frère Pacifique, visiteur des Sœurs Pauvres. Entrée à Saint-Damien d'Ortolane, la mère de Claire. Dernières recommandations de François aux Sœurs (fin septembre, début octobre). Mort de François (3 octobre).				Confirmation par le pape de la règle du Carmel.
1227	Bulle *Quoties cordis*: le soin des Sœurs Pauvres est confié par Grégoire IX au ministre général (14 décembre).	Jean Parenti (1227-1232)	Grégoire IX (1227-1241)	Raynald de Segni (1227-1261)	Frédéric II est excommunié par Grégoire IX.

	CLAIRE et FRANÇOIS	MINISTRES GÉNÉRAUX	PAPES	CARDINAUX PROTECTEURS	ÉGLISE et MONDE
1228	Fondation du monastère de Pampelune en Espagne, 1er monastère hors d'Italie. François est canonisé par Grégoire IX (16 juillet). Grégoire IX renouvelle le Privilège de la pauvreté (17 septembre).				Codification de la Règle dominicaine.
1228-1229	Frère Philippe est nommé pour la 2e fois visiteur des Sœurs Pauvres (1228-1246).				6e croisade. Frédéric II en Terre Sainte négocie un traité.
1229	Entrée de Béatrice, la sœur de Claire.				L'empereur débarque en Pouilles et chasse les armées pontificales. Croisade des chevaliers Teutoniques en pays baltes.
1230	Le corps de François est transféré à la nouvelle basilique. Claire proteste contre l'interdiction faite aux Frères de visiter les Sœurs sans autorisation papale.				Traité de San Germano: Frédéric II fait sa soumission à Grégoire IX. *1231*: Mort d'Antoine de Padoue et d'Élisabeth de Hongrie. Raids de Gengis Khan en Europe Centrale. Création de l'Inquisition.
		Élie d'Assise (1232-1239)			

1234	1re lettre de Claire à Agnès de Prague (avant le 11 juin).		Canonisation de saint Dominique.
1234-1238	2e lettre de Claire à Agnès de Prague.		
1235-1237	Envoi des Sœurs en Allemagne et en Bohême.		
1238	3e lettre de Claire à Agnès de Prague (avant le 11 mai).	Albert de Pise (1239-1240)	
1240	Invasion des Sarrasins (septembre).	Haymon de Faversham (1240-1244)	
		Célestin IV (1241, 1 mois)	1241 : Libération de la ville d'Assise des troupes de Vitale d'Aversa.
		Innocent IV (1243-1254)	1243 : Les Turcs prennent Jérusalem.
		Crescent de Jesi (1244-1247)	1244 : Prise de la forteresse cathare de Montségur.
			1245 : Le 1er concile de Lyon dépose Frédéric II.
			1246 : Mission de Jean de Plan-Carpin à la cour mongole.

	CLAIRE et FRANÇOIS	MINISTRES GÉNÉRAUX	PAPES	CARDINAUX PROTECTEURS	ÉGLISE et MONDE
1247	Règle d'Innocent IV pour toutes les Sœurs Pauvres (6 août). Claire commence la rédaction de sa propre règle.	Jean de Parme (1247-1257)			
1250	Aggravation de la maladie de Claire (vers le 11 novembre).				1248-1250 7e croisade (saint Louis).
1252	Visite du cardinal Raynald à Claire qui lui demande l'approbation de la Règle (8 septembre); le Cardinal approuve la Règle (16 septembre).				1252-1259 Thomas d'Aquin à Paris. Conflits entre séculiers et réguliers à l'Université de Paris.
1253	Agnès, sœur de Claire, revient à Saint-Damien. 4e lettre de Claire à Agnès de Prague. Innocent IV visite Claire (peu après le 27 avril); 2e visite (peu avant le 11 août). Innocent IV				

1254	approuve la Règle (9 août). Mort de Claire (11 août). Innocent IV charge Barthélemy de Spolète d'enquêter sur la vie et les miracles de Claire (18 octobre). Procès du 24 au 29 novembre. 1re condamnation des Spirituels.		Alexandre IV (1254-1261)	Alexandre IV publie la bulle *Quasi lignum vitae* pour soutenir les Frères de l'Université de Paris.
1255	Canonisation de Claire par Alexandre IV à Anagni (15 août).			
1260	Transfert du corps de Claire et de la communauté à Santa-Chiara.	Bonaventure de Bagnoreggio (1257-1274)		
1263	Approbation de la règle d'Isabelle de France. Règle d'Urbain IV.		Urbain IV (1261-1264)	
1850	Découverte du corps de Claire (30 août).			
1872	Ouverture du sarcophage (23 septembre). Translation du corps dans la crypte de la basilique Santa-Chiara (30 octobre).			
1893	Découverte de la bulle originale contenant la Règle de Claire.			

TEXTE ET TRADUCTION

LE TEXTE ORIGINAL
ET SA TRADUCTION FRANÇAISE

On trouvera donc, dans les pages qui suivent, le texte original des écrits de Claire d'Assise, accompagné d'une traduction française.

Comme nous l'avons déjà signalé dans l'Introduction, le texte original des *Lettres à Agnès de Prague* est celui de l'édition critique de J.K. Vyskočil[1]; le texte de la *Règle* est celui de la bulle originale d'approbation[2]; il en va de même pour le texte du *Privilège de la pauvreté* de 1228[3]. Le texte de la *Lettre à Ermentrude de Bruges* est repris aux *Annales Minorum* de L. Wadding[4]. Les textes du *Testament*, de la *Bénédiction* et du *Privilège de la pauvreté* de 1216 ont été établis sur la base des manuscrits connus[5] et sont accompagnés d'un apparat critique. Pour tous les textes, nous signalons les emprunts — citations ou réminiscences — à l'Écriture sainte, à la liturgie, aux auteurs ecclésiastiques et franciscains.

La traduction est du type qu'on peut qualifier de littéral. Elle veut répondre au désir de mettre entre les mains des amis de Claire qui ne connaissent pas le latin un texte qui soit le plus proche possible de l'original, un

1. Cf. *supra,* p. 17.
2. Cf. *supra,* p. 20.
3. Cf. *supra,* p. 12.
4. Cf. *supra,* p. 18-19.
5. Cf. *supra,* p. 21, 27 et 11.

texte qui soit aussi évocateur et qui soulève les mêmes
questions que l'original. Cette traduction s'adresse plus
à des chercheurs, au sens vrai et premier du mot, qu'à
un grand public.

Le critère méthodologique fondamental a donc été
celui de la fidélité maximale au texte original, au point
de vue de la forme comme au point de vue du fond, de
manière à réduire autant que possible la distance entre
ce texte et les lecteurs qui ne connaissent pas la langue
dans laquelle il a été écrit. Que la traduction ait à
transmettre le contenu du texte traduit, c'est une
exigence évidente. Mais ici, on a voulu qu'elle présente
également les mêmes caractéristiques formelles que
l'original : utilisation de substantifs, de verbes et
d'adjectifs, construction en coordination ou en subordi-
nation, correction de la langue et caractères de style, en
conformité la plus grande possible avec le texte traduit.
La traduction ne veut être ni plus claire ni moins
obscure, ni plus polie ni moins rugueuse que l'original.
Tout en s'efforçant de respecter le génie de l'une et
l'autre langue, on a voulu éviter toute interprétation,
laissant le champ libre au lecteur. Nous répondrons ainsi
au souhait de celles et de ceux qui, sans être des
spécialistes, travaillent ces textes avec cœur et sérieux,
seuls ou avec d'autres.

Dans cette perspective, priorité est donnée au texte
original, que la traduction veut servir fidèlement et
discrètement. Comme la langue française est fille du
latin, nous avons voulu, chaque fois que c'était possible,
utiliser en français les mots dérivant des mots latins
rencontrés : retourner à la racine des mots, au sens
premier, même s'il est parfois vieilli ou tombé dans
l'oubli pour tous, sauf pour les dictionnaires toujours
prêts à restituer leur trésor ; se garder d'un vocabulaire
en vogue aujourd'hui, mais qui bien vite passera et sera
plus représentatif de l'époque qui a vu naître la
traduction que de celle qui a présidé à l'élaboration de

l'original. Et si nous nous sommes refusé à toute interprétation, nous avons cherché en même temps à ouvrir le champ sémantique aussi large que dans le texte original et à y introduire le lecteur.

Propos difficile que celui-là, et que nous n'avons pas pu toujours respecter. Toute traduction n'est qu'un intermédiaire et l'intermédiaire est toujours quelque peu déformant. Notre espoir demeure cependant que cette traduction transmettra à ses amis de langue française une version conforme des écrits de dame Claire d'Assise, sœur pauvre et petite plante de frère François.

Jean-François GODET, o.f.m.

EPISTOLA PRIMA
AD BEATAM AGNETEM DE PRAGA

(1) Venerabili et sanctissimae virgini, dominae Agneti, filiae excellentissimi ac illustrissimi regis Bohemiae, (2) Clara, indigna famula Jesu Christi et ancilla *inutilis* dominarum inclusarum monasterii Sancti Damiani, sua ubique subdita et ancilla, recommendationem sui omnimodam cum reverentia speciali aeternae felicitatis *gloriam adipisci.*

(3) Vestrae sanctae conversationis et vitae honestissimam famam audiens, quae non solum mihi, sed fere in toto est orbe terrarum egregie divulgata, *gaudeo*

2.cf. Lc 17, 10; cf. Si 50, 5 | 3. cf. 1 Th 1, 8; Ha 3, 18 |

---

1. Il s'agit du roi Ottokar Ier (1198-1230).
2. La langue française ne dispose que du mot servante pour traduire deux mots latins utilisés par Claire. *Famula* désigne une femme faisant partie d'une *familia,* d'une famille ou, mieux, du personnel domestique d'un seigneur ou maître. *Ancilla* désigne celle qui fait le service et correspond, en quelque sorte, au *minister*

PREMIÈRE LETTRE
A LA BIENHEUREUSE AGNÈS DE PRAGUE
(avant le 11 juin 1234)

(1) A la vénérable et très sainte vierge, dame Agnès, fille de l'excellentissime et illustrissime roi de Bohême [1], (2) Claire, indigne servante de Jésus-Christ et servante [2] inutile des dames incluses [3] du monastère de Saint-Damien, sa sujette et servante en tout, recommandations de toutes sortes, avec révérence spéciale, pour obtenir la gloire de l'éternelle félicité [4].

(3) Entendant la très honnête [5] renommée de votre sainte conduite et de votre sainte vie, qui a été remarquablement divulguée, non seulement jusqu'à moi, mais presque sur toute la terre, je me réjouis beaucoup

(ministre, serviteur) utilisé par François dans ses écrits. Claire utilisera encore ailleurs le mot *serva,* féminin de *servus,* qui signifie l'esclave.

3. C'est l'unique fois que Claire utilise cette appellation, qui est celle utilisée dans les documents pontificaux (cf. *Bullarium Franciscanum* I). Au début de sa Règle, Claire utilisera l'appellation de Sœurs Pauvres, correspondant à celle de Frères Mineurs. A noter que le mot *inclus* ne signifie pas la même chose que reclus : le premier exprime le fait d'être contenu dans un espace ou une réalité donnée ; le second exprime une séparation, un isolement.

4. Tout au long de cette lettre, Claire utilise la formule de politesse. Dans les trois autres lettres, elle tutoiera familièrement Agnès.

5. Réalité souvent évoquée par Claire : cf. *RegCl* Prol ; 2, 15 et 20 ; 4, 17 ; 6, 14 ; 7, 1 ; 9, 12 ; 11, 9 ; 12, 2 et 5 ; *TestCl* 54 et 56. Il s'agit de ce qui convient à un état, à une situation.

84 CLAIRE D'ASSISE

plurimum *in Domino et exsulto*; (4) de quo non tantum ego singularis valeo exsultare, sed universi qui faciunt et facere desiderant servitium Jesu Christi.

(5) Hinc est quod, cum perfrui potuissetis prae ceteris pompis et honoribus et saeculi dignitate, cum gloria excellenti valentes inclito Caesari legitime desponsari, sicut vestrae ac eius excellentiae decuisset, (6) quae omnia respuentes, toto animo et cordis affectu magis sanctissimam paupertatem et corporis penuriam elegistis, (7) sponsum nobilioris generis accipientes, Dominum Jesum Christum, qui vestram virginitatem semper immaculatam custodiet et illaesam.

(8) *QUEM CUM AMAVERITIS CASTA ESTIS,*
CUM TETIGERITIS MUNDIOR efficiemini,
CUM ACCEPERITIS VIRGO ESTIS;

(9) *CUIUS POSSIBILITAS FORTIOR, GENEROSITAS CELSIOR,*
CUIUS ASPECTUS PULCHRIOR, AMOR SUAVIOR
ET OMNIS GRATIA ELEGANTIOR.

(10) Cuius *ESTIS IAM AMPLEXIBUS ASTRICTA,*
QUI pectus *VESTRUM*
ornavit *LAPIDIBUS PRETIOSIS*
et *VESTRIS AURIBUS*
TRADIDIT INAESTIMABILES MARGARITAS,

(11) *ET* totam *CIRCUMDEDIT VERNANTIBUS*
ATQUE CORUSCANTIBUS GEMMIS
atque vos coronavit *aurea corona*
signo sanctitatis expressa.

---

8. cf. Index II (Bréviaire, 21 janvier) | 9. cf. Index III (Ps.-Ambroise, Ep. I) | 10. cf. Index II (Bréviaire, 21 janvier) | 11. cf. Index II (Bréviaire, 21 janvier); Si 45, 12

dans le Seigneur et j'exulte ; (4) et à propos de cela, non seulement moi personnellement, je puis exulter, mais tous ceux qui font et désirent faire le service de Jésus-Christ.

(5) Il en ressort que, alors que vous auriez pu jouir, plus que les autres, des pompes, des honneurs et de la dignité du siècle, pouvant avec une gloire excellente épouser légitimement l'illustre empereur [6], comme il eût convenu à votre et à son excellence, (6) rejetant tout cela, vous avez choisi, de tout votre esprit et de tout l'élan de votre cœur, plutôt la très sainte pauvreté et le dénuement du corps, (7) prenant un époux de plus noble race, le Seigneur Jésus-Christ, qui gardera votre virginité toujours immaculée et intacte.

(8) Lors que vous l'aimez, vous êtes chaste ;
lors que vous le touchez, vous deviendrez plus pure ;
lors que vous l'acceptez, vous êtes vierge.

(9) Sa puissance est plus forte, sa générosité plus élevée,
son aspect plus beau, son amour plus suave
et toute sa grâce plus exquise.

(10) Par ses embrassements vous êtes désormais liée,
à lui qui a orné votre poitrine
de pierres précieuses
et a mis à vos oreilles
des perles inestimables,

(11) qui vous a toute enveloppée
de gemmes, étincelant comme le printemps,
et vous a couronnée d'une couronne d'or
marquée du signe de la sainteté.

6. Claire fait allusion à l'empereur Frédéric II, qui était veuf depuis mai 1228.

(12) Ergo, soror carissima, immo domina veneranda nimium, quia *sponsa* et *mater* estis et *soror* Domini mei Jesu Christi, (13) virginitatis inviolabilis et paupertatis sanctissimae vexillo resplendentissime insignita, in sancto servitio confortamini pauperis Crucifixi ardenti desiderio inchoato, (14) qui pro nobis omnibus *crucis sustinuit passionem, eruens nos de potestate* principis *tenebrarum*, qua ob transgressionem primi parentis vincti vinculis tenebamur, et *nos reconcilians* Deo Patri.

(15) O beata paupertas,
quae diligentibus et amplexantibus eam
divitias praestat aeternas!

(16) O sancta paupertas,
quam habentibus et desiderantibus
a Deo *caelorum regnum* promittitur
et aeterna gloria vitaque beata
procul dubio exhibetur!

(17) O pia paupertas,
quam Dominus Jesus Christus,
qui caelum terramque regebat et regit,
qui *dixit* etiam *et sunt facta*,
dignatus est prae ceteris amplexari!

(18) *Vulpes* enim *foveas*, inquit, *habent et volucres caeli nidos, Filius autem hominis*, id est Christus, *non habet ubi caput reclinet*, sed *inclinato capite tradidit spiritum*.

(19) Si ergo tantus et talis Dominus in uterum

12. cf. 2 Co 11, 2; Mt 12, 50; 2 LFid 49-50 | 14. He 12, 2; Col 1, 13; 2 Co 5, 18 | 16. cf. Mt 5,3 | 17. cf. Index II (Missel); Ps 32, 9; Ps 148, 5 | 18. Mt 8, 20; Lc 9, 58; Jn 19, 30 | 19. cf. 2 Co 8, 9

(12) Aussi, sœur très chère, ou plutôt dame extrêmement vénérable, parce que vous êtes épouse et mère et sœur de mon Seigneur Jésus-Christ, (13) si splendidement distinguée par l'étendard de l'inviolable virginité et de la très sainte pauvreté, soyez fortifiée dans le saint service commencé avec le désir ardent du pauvre Crucifié, (14) qui pour nous tous supporta la passion de la croix, nous arrachant au pouvoir du prince des ténèbres, dans les liens duquel nous étions tenus liés à cause de la transgression de notre premier parent, et nous réconciliant avec Dieu le Père.

(15) Ô bienheureuse pauvreté,
qui, à ceux qui l'aiment et qui l'embrassent,
procure les richesses éternelles !

(16) Ô sainte pauvreté,
à ceux qui l'ont et qui la désirent
est promis par Dieu le royaume des cieux
et sont présentées sans aucun doute
l'éternelle gloire et la vie bienheureuse !

(17) Ô pieuse[7] pauvreté,
que le Seigneur Jésus-Christ,
qui régissait et régit le ciel et la terre,
et qui dit et les choses furent faites,
a daigné par-dessus tout embrasser !

(18) Les renards, dit-il en effet, ont des trous et les oiseaux du ciel des nids, le Fils de l'homme, lui — c'est-à-dire le Christ —, n'a pas où reposer la tête, mais, inclinant la tête, il remit l'esprit.

(19) Si donc un si grand et un tel Seigneur, venant

---

7. Est pieux ce qui est rempli de respect affectueux et actif : le mot latin *pietas* donnera en français à la fois piété et pitié.

veniens virginalem, despectus, *egenus* et pauper in mundo voluit apparere, (20) ut homines, qui erant pauperrimi et egeni, caelestis pabuli sufferentes nimiam egestatem, efficerentur in illo divites regna caelestia possidendo, (21) *exsultate* plurimum et *gaudete*, repletae ingenti gaudio et laetitia spiritali, (22) quia, cum vobis magis placuisset contemptus saeculi quam honores, paupertas quam divitiae temporales et magis *thesauros in caelo* recondere quam in terra, (23) *ubi nec* rubigo consumit *nec tinea demolitur et fures non effodiunt nec furantur, merces vestra copiosissima est in caelis*, (24) et fere digne meruistis *soror, sponsa* et *mater* altissimi Patris Filii et gloriosae Virginis nuncupari.

(25) Credo enim firmiter vos novisse quod *regnum caelorum* nonnisi *pauperibus* a Domino promittitur et donatur, quia dum res diligitur temporalis fructus amittitur caritatis; (26) *Deo et mammonae deservire non posse*, quoniam *aut unus diligitur et alter odio habetur* et *aut uni* serviet *alterum contemnet*; (27) et vestitum cum nudo certare non posse, quia citius ad terram deicitur qui habet unde teneatur; (28) et gloriosum manere in saeculo et illic regnare cum Christo, et quoniam ante *foramen acus* poterit *transire camelus*, scandere *quam dives* caelica *regna*. (29) Ideo abiecistis vestimenta,

21. cf. Ha 3, 18 | 23. Mt 6, 20; Mt 5, 12 | 24. cf. 2 Co 11, 2; Mt 12, 50 | 25. cf. Mt 5, 3 | 26. Mt 6, 24 | 27. cf. Index III (Grég., Hom. in ev. XXXII) | 28. cf. Mt 19, 24

dans un ventre virginal, voulut apparaître dans le monde, méprisé, indigent et pauvre[8], (20) pour que les hommes, qui étaient très pauvres et indigents, souffrant l'extrême indigence de nourriture céleste, deviennent en lui riches en possédant les royaumes célestes, (21) exultez beaucoup et réjouissez-vous, remplie d'une immense joie et d'une allégresse spirituelle, (22) parce que, puisque vous avez préféré le mépris du siècle aux honneurs, la pauvreté aux richesses temporelles, enfouir des trésors dans le ciel plutôt que dans la terre, (23) là où ni la rouille ne ronge ni la mite ne détruit, ni les voleurs ne saccagent ni ne volent, votre récompense est très copieuse dans les cieux, (24) et vous aurez dignement mérité d'être appelée sœur, épouse et mère du Fils du Père très haut et de la glorieuse Vierge.

(25) Je crois en effet fermement que vous avez appris que le royaume des cieux n'est promis et donné par le Seigneur qu'aux pauvres, parce que, lorsqu'on aime une chose temporelle, on perd le fruit de la charité. (26) On ne peut servir Dieu et l'argent[9], puisque ou l'un est aimé et l'autre est tenu en haine, ou on servira l'un et on méprisera l'autre. (27) Et un homme vêtu ne peut lutter contre quelqu'un de nu, parce que celui qui donne prise est plus vite jeté à terre[10]; (28) et on ne peut demeurer glorieux dans le siècle et régner là-haut avec le Christ, puisque aussi bien le chameau pourra passer par le trou de l'aiguille avant que le riche ne monte aux royaumes célestes. (29) C'est pourquoi vous avez rejeté les vêtements, c'est-à-dire les richesses

8. Claire choisit de vivre pauvre comme le Christ vécut pauvre. C'est un choix concret et radical fait par amour de Celui qui n'a retenu pour lui rien de lui-même. C'est également le choix que fit François : *2 Reg* 6, 3.

9. Litt. « Mammon ».

10. La même image se retrouve chez THOMAS DE CELANO, *Vita prima s. Francisci,* 15 (*Analecta Franciscana* X).

videlicet divitias temporales, ne luctanti succumbere penitus valeretis, ut per *arctam viam* et *angustam portam* possitis regna caelestia introire.

(30) Magnum quippe ac laudabile commercium:
relinquere temporalia pro aeternis,
promereri caelestia pro terrenis,
centuplum pro uno *recipere*
ac beatam *vitam* perpetuam *possidere.*

(31) Quapropter vestram excellentiam et sanctitatem duxi, prout possum, humilibus precibus *in Christi visceribus* supplicandam, quatenus in eius sancto servitio confortari velitis, (32) crescentes de bono in melius, *de virtutibus in virtutes*, ut cui toto mentis desiderio deservitis, dignetur vobis optata praemia elargiri.

(33) Obsecro etiam vos in Domino, sicut possum, ut me vestram famulam, licet *inutilem*, et sorores ceteras vobis devotas mecum in monasterio commorantes habere velitis in sanctissimis *vestris orationibus* commendatas, (34) quibus subvenientibus mereri possumus misericordiam Jesu Christi, ut pariter una vobiscum sempiterna mereamur perfrui visione.

(35) Valete in Domino et *oretis pro* me.

29. cf. Mt 7, 13-14 | 30. cf. Mt 19, 29 | 31. cf. Ph 1, 8 | 32. cf. Ps 83, 8 | 33. cf. Lc 17, 10; cf. Rm 15, 30 | 35. cf. 1 Th 5, 25.

temporelles, pour éviter absolument de succomber devant le lutteur et pouvoir, par la voie resserrée et la porte étroite, entrer dans les royaumes célestes.

(30) Quel grand et louable échange[11] :
laisser les biens temporels pour les éternels,
mériter les biens célestes pour les terrestres,
recevoir cent pour un
et posséder la bienheureuse vie perpétuelle.

(31) C'est pourquoi j'ai pensé qu'il fallait supplier votre excellence et votre sainteté par d'humbles prières, comme je le puis, dans les entrailles du Christ, de telle sorte que vous vous laissiez fortifier dans son saint service, (32) croissant de bien en mieux, de vertus en vertus, afin que celui que vous servez de tout le désir de votre esprit daigne vous donner largement les récompenses souhaitées.

(33) Je vous conjure aussi dans le Seigneur, comme je le puis, de vouloir bien, dans vos très saintes prières, nous recommander, moi votre servante, quoique inutile, et les autres sœurs qui vous sont dévouées, demeurant avec moi dans le monastère. (34) Avec l'aide (de ces prières), nous pouvons mériter la miséricorde de Jésus-Christ, afin de mériter également de jouir, ensemble avec vous, de l'éternelle vision.

(35) Portez-vous bien dans le Seigneur et priez pour moi.

---

11. Le thème du commerce, de l'échange est un thème privilégié de la pensée franciscaine primitive sur la pauvreté : cf. *Sacrum Commercium s. Francisci cum Domina Paupertate,* Quaracchi 1929, et Thomas de Celano, *op. cit.*

EPISTOLA SECUNDA
AD BEATAM AGNETEM DE PRAGA

(1) Filiae *Regis regum*, ancillae *Domini dominantium*, sponsae dignissimae Jesu Christi et ideo reginae praenobili dominae Agneti, (2) Clara, pauperum dominarum ancilla *inutilis* et indigna, salutem et semper in summa vivere paupertate.

(3) Gratias ago gratiae largitori, a quo *omne datum optimum et omne donum perfectum* creditur emanare, quod te tantis virtutum titulis decoravit et tantae perfectionis insigniis illustravit, (4) ut, *perfecti Patris* effecta diligens imitatrix, perfecta fieri merearis, ne *oculi* sui aliquid in te *videant imperfectum*.

(5) Haec est illa perfectio, qua te sibi Rex ipse in aethereo thalamo sociabit, ubi sedet stellato solio gloriosus, (6) quod terreni regni fastigia vilipendens et oblationes imperialis coniugii parum dignas, (7) aemula sanctissimae paupertatis effecta in spiritu magnae humilitatis et ardentissimae caritatis eius adhaesisti *vestigiis*, cuius meruisti connubio copulari.

---

1. Ap 19, 16; cf. 1 Tm 6, 15 | 2. cf. Lc 17, 10 | 3. Jc 1, 17 | 4. cf. Mt 5, 48; cf. Ps 138, 16 | 5. cf. Index II (Bréviaire, 15 août) | 7. cf. 1 P 2, 21

DEUXIÈME LETTRE
A LA BIENHEUREUSE AGNÈS DE PRAGUE
(entre 1234 et 1238)

(1) A la fille du Roi des rois, servante du Seigneur des seigneurs, épouse très digne de Jésus-Christ et pour cela reine très noble, dame Agnès, (2) Claire, inutile et indigne servante des pauvres dames, salut et que toujours elle vive dans la souveraine pauvreté.

(3) Je rends grâces au dispensateur de la grâce, de qui nous croyons qu'émanent tout don excellent et toute donation parfaite, parce qu'il t'a ornée de tant de titres de vertus et t'a fait briller des insignes de tant de perfection, (4) pour que, devenue imitatrice attentive du Père parfait, tu mérites de devenir parfaite, afin que ses yeux ne voient en toi rien d'imparfait.

(5) Telle est cette perfection par laquelle le Roi lui-même t'associera à lui dans la céleste chambre nuptiale où il siège glorieux sur un trône étoilé, (6) parce que, comptant pour peu les sommets du royaume terrestre et pour peu dignes les offres d'un mariage impérial, (7) devenue émule de la très sainte pauvreté en esprit de grande humilité et de très ardente charité, tu t'es attachée aux traces de celui à qui tu as mérité de t'unir en mariage.

(8) Cum vero noverim te virtutibus oneratam, parcens prolixitati verborum nolo verbis superfluis onerare, (9) licet tibi nihil superflui videatur ex illis de quibus posset tibi aliqua consolatio provenire. (10) Sed quia *unum est necessarium*, hoc unum obtestor et moneo per amoren illius, cui te *sanctam* et beneplacentem *hostiam* obtulisti, (11) ut tui memor propositi velut altera Rachel tuum semper videns principium,
quod tenes teneas,
quod facis facias *nec dimittas*,
(12) sed cursu concito, gradu levi,
pedibus inoffensis
ut etiam gressus tui pulverem non admittant,

(13) secura gaudens et alacris
per tramitem caute beatitudinis gradiaris,

(14) nulli credens, nulli consentiens,
quod te vellet ab hoc proposito revocare,
quod tibi *poneret* in via *scandalum*,
ne in illa perfectione,
qua Spiritus Domini te vocavit,
redderes Altissimo vota tua.

10. Lc 10, 42; cf. Rm 12, 1 | 11. cf. Gn 29, 16; cf. Ct 3, 4 | 12. cf. Index III (Grég., Dial. Prol.) | 14. cf. `Rm 14, 13; Ps 49, 14

1. Rachel, femme préférée de Jacob (*Gn* 29, 18.20.30), est considérée au Moyen Age comme le type de la vie contemplative: «Haec est Rachel illa formosa, pulchra aspectu, a Jacob plus dilecta, licet minus filiorum ferax, quam Lia fecundior sed lippa. Pauciores enim sunt contemplationis quam actionis filii; verumtamen Joseph et Benjamin plus sunt ceteris fratribus a patre dilecti. Haec est pars illa optima quam Maria elegit, quae non auferetur.» «Telle est cette belle

(8) Mais comme j'ai appris que tu es chargée de vertus, t'épargnant un flot de paroles, je ne veux pas te charger de paroles superflues, (9) bien que rien ne te paraisse superflu de ce qui pourrait t'apporter quelque consolation. (10) Mais parce qu'une seule chose est nécessaire, j'atteste cette seule chose et je t'avertis, par l'amour de celui à qui tu t'es offerte en sainte et agréable hostie, (11) de garder mémoire de ton propos, comme une autre Rachel[1], regardant toujours ton commencement.

Ce que tu tiens, tiens-le,
ce que tu fais, fais-le et ne le lâche pas,

(12) mais d'une course rapide, d'un pas léger,
sans entraves aux pieds,
pour que tes pas ne ramassent même pas la poussière[2],

(13) sûre, joyeuse et alerte,
marche prudemment sur le chemin de la béatitude,

(14) ne croyant rien, ne consentant à rien
qui voudrait te ramener de ce propos
qui poserait sur ta route[3] un scandale
pour que tu n'accomplisses pas tes vœux au Très-Haut
dans cette perfection
où l'Esprit du Seigneur t'a appelée.

Rachel, à l'aspect agréable; bien qu'elle donnât à Jacob moins d'enfants que Lia, il la préférait à celle-ci, plus féconde, mais au regard obscurci. Les fils de la contemplation sont plus rares en effet que les fils de l'action; cependant Joseph et Benjamin sont chéris par leur père plus que leurs autres frères. Telle est cette meilleure part que Marie a choisie, et qui ne sera pas enlevée». S. BRUNO, «Lettre à Raoul le Verd», dans Lettres des premiers Chartreux, (Sources Chrétiennes, 88), Paris 1962, p. 70-73.

2. Même image chez THOMAS DE CELANO, Vita prima Francisci, 71 (Analecta Franciscana X).

3. Litt. «voie».

(15) In hoc autem, ut *mandatorum* Domini securius *viam* perambules, venerabilis patris nostri fratris nostri Heliae, generalis ministri, consilium imitare; (16) quod praepone consiliis ceterorum et reputa tibi carius omni dono.

(17) Si quis vero aliud tibi dixerit,
aliud tibi suggesserit,
quod perfectionem tuam impediat,
quod vocationi divinae contrarium videatur,
etsi debeas venerari,
noli tamen eius consilium imitari,

(18) sed pauperem Christum,
virgo pauper, amplectere.

(19) Vide contemptibilem pro te factum et sequere, facta pro ipso contemptibilis in hoc mundo. (20) Sponsum tuum *prae filiis hominum speciosum*, pro salute tua factum virorum vilissimum, despectum, percussum et toto corpore multipliciter *flagellatum*, inter ipsas crucis angustias morientem, regina praenobilis, intuere, considera, contemplare, desiderans imitari.

---

15. cf. Ps 118, 32 | 20. Ps 44, 3 ; cf. Mt 27, 26

---

4. Élie d'Assise, après avoir été vicaire de François de 1221 à 1227, fut ministre général de 1232 à 1239, année où il fut démis de sa charge par le pape Grégoire IX sous la pression d'une partie de l'Ordre des Frères Mineurs. Le témoignage de Claire est important : en même temps que le respect dû au ministre général, on y sent l'estime pour la personne d'Élie, compagnon de François. Pour la connaissance d'Élie, voir L. DI FONZO, « Élie d'Assise », dans *Diction-*

(15) Mais en ceci, pour marcher plus sûrement sur la voie des commandements du Seigneur, imite le conseil de notre vénérable père, notre frère Élie, ministre général[4]; (16) préfère-le aux conseils des autres et considère-le comme plus cher que tout don.

(17) Et si quelqu'un te disait autre chose,
te suggérait autre chose,
qui empêcherait ta perfection,
qui paraîtrait contraire à la vocation divine,
bien que tu doives le vénérer,
refuse cependant d'imiter son conseil[5],

(18) mais, vierge pauvre,
embrasse le Christ pauvre.

(19) Vois que pour toi il s'est fait méprisable et suis-le, te faisant pour lui méprisable en ce monde. (20) Très noble reine, regarde, considère, contemple, désirant imiter ton époux[6], le plus beau des fils des hommes, qui, pour ton salut, s'est fait le plus vil des hommes, méprisé, frappé et sur tout le corps flagellé de multiples façons, mourant dans les angoisses mêmes de la croix.

naire d'*Histoire et de Géographie Ecclésiastiques* 15 (1963), c. 167-183; G. ODOARDI, «Elia di Assisi», dans *Dizionario degli Istituti di Perfezione* 3 (1976), c. 1094-1110; D. BERG, «Elias von Cortona. Studien zu Leben und Werk des zweiten Generalministers im Franziskanerorden», dans *Wissenschaft und Weisheit* 41 (1978), p. 102-126.

5. Claire fait ici écho aux dernières volontés de François (*DVol* 3). En écrivant ainsi à Agnès, elle répond discrètement, mais fermement au pape Grégoire IX qui, dans une lettre du 18 mai 1235, engageait Agnès à accepter des possessions et des revenus pour la subsistance de son monastère (cf. *Bullarium Franciscanum* I, p. 156, *Cum relicta saeculi*).

6. Le thème de l'imitation correspond chez Claire à celui de la suite du Christ chez François. Claire nous décrit les étapes qui conduisent à l'imitation du Christ: regarder, considérer, contempler.

(21) Cui si compateris *conregnabis*,
condolens congaudebis,
in cruce tribulationis *commoriens*
cum ipso *in sanctorum splendoribus*
mansiones aethereas possidebis
(22) et *nomen* tuum in *libro vitae* notabitur
futurum inter homines gloriosum.

(23) Propter quod in aeternum et in saeculum saeculi
regni caelestis gloriam pro terrenis et transitoriis, aeterna bona pro perituris participes et vives in saecula
saeculorum.

(24) Vale, carissima soror et domina, propter Dominum tuum sponsum; (25) et me cum sororibus meis,
quae gaudemus de bonis Domini, quae in te per suam
gratiam operatur, stude tuis devotis orationibus *Domino
commendare*. (26) Sororibus etiam tuis nos plurimum
recommenda.

21. cf. Rm 8, 17; cf. 2 Tm 2, 12; cf. 1 Co 12, 26; cf. 2 Tm 2, 11;
Ps 109, 3 | 22. cf. Ph 4, 3; cf. Ap 3, 5 | 25. cf. 1 Co 15, 10;
cf. Ac 14, 22.

(21) Si tu souffres avec lui, avec lui tu régneras ;
t'affligeant avec lui, avec lui tu te réjouiras ;
mourant avec lui sur la croix de la tribulation,
avec lui tu posséderas dans les splendeurs des saints
les demeures célestes,

(22) et ton nom sera noté au livre de vie,
il sera glorieux parmi les hommes.

(23) C'est pourquoi pour l'éternité et les siècles des
siècles, tu auras part à la gloire du royaume céleste en
échange des choses terrestres et transitoires, aux biens
éternels en échange des biens périssables et tu vivras
dans les siècles des siècles.

(24) Porte-toi bien, très chère sœur et dame, pour le
Seigneur ton époux ; (25) et veille, dans tes dévotes
prières, à me recommander au Seigneur, moi-même
avec mes sœurs, qui nous réjouissons des biens du
Seigneur qu'il opère en toi par sa grâce. (26)
Recommande-nous aussi beaucoup à tes sœurs.

EPISTOLA TERTIA
AD BEATAM AGNETEM DE PRAGA

(1) In Christo sibi reverendissimae dominae ac prae cunctis mortalibus diligendae sorori Agneti, illustris regis Bohemiae germanae, sed iam summo caelorum Regi *sorori* et *sponsae,* (2) Clara, humillima et indigna Christi ancilla et dominarum pauperum serva, salutis gaudia in *auctore salutis* et quidquid melius desiderari potest.

(3) De sospitate tua, felici statu et successibus prosperis quibus te in incepto cursu ad obtinendum caeleste *bravium* vigere intelligo tanto repleor gaudio (4) tantaque in Domino exsultatione respiro, quanto te novi et arbitror vestigiorum pauperis et humilis Jesu Christi tam in me quam in aliis ceteris sororibus imitationibus mirifice supplere defectum.

---

1. cf. Mt 12, 50 ; cf. 2 Co 11, 2 | 2. cf. He 2, 10 ; cf. Ph 4, 8-9 | 3. cf. Ph 3, 14

TROISIÈME LETTRE
A LA BIENHEUREUSE AGNÈS DE PRAGUE
(début 1238)

(1) A la dame, pour elle très révérende dans le Christ, et à la sœur à aimer avant toutes les mortelles, Agnès, sœur[1] de l'illustre roi de Bohême[2], mais maintenant sœur et épouse du souverain roi des cieux, (2) Claire, très humble et indigne servante du Christ et serve des pauvres dames, joies du salut dans l'auteur du salut et tout ce que l'on peut désirer de meilleur.

(3) A ta bonne santé, ton heureux état et tes succès florissants[3], je comprends que dans la course entreprise pour obtenir la récompense céleste, tu es pleine de vigueur et j'en suis remplie de tant de joie ! (4) Et je respire d'autant plus en exultation dans le Seigneur que j'ai appris et je constate que tu supplées merveilleusement à ce qui est défectueux, tant en moi qu'en mes autres sœurs, dans l'imitation des traces de Jésus-Christ pauvre et humble.

---

1. Litt. « germaine ».
2. Il s'agit du roi Wenceslas Ier (1230-1253), frère d'Agnès, né comme elle en 1205. Il est aussi appelé Wenceslas II, deuxième du nom après saint Wenceslas Ier, duc de Bohême et martyr (907-929).
3. Litt. « prospères ».

(5) Vere gaudere possum nec me aliquis posset a tanto gaudio facere alienam, (6) cum, quod sub caelo concupivi iam *tenens, callidi* hostis astutias et perditricem humanae naturae superbiam et vanitatem humana corda infatuantem te quadam mirabili ipsius Dei oris sapientiae praerogativa suffultam terribiliter ac inopinabiliter videam supplantare (7) *absconsumque in agro* mundi et cordium humanorum *thesaurum* incomparabilem, quo illud *emitur* a quo cuncta de nihilo *facta sunt,* humilitate, virtute fidei ac paupertatis brachiis amplexari; (8) et, ut proprie ipsius apostoli verbis utar, ipsius Dei te iudico *adiutricem* et ineffabilis corporis eius cadentium membrorum sublevatricem.

(9) Quis ergo de tandis mirandis gaudiis dicat me non gaudere? (10) *Gaudeas* igitur et tu *in Domino semper,* carissima, (11) nec te involvat amaritudo et nebula, o in Christo dilectissima domina, angelorum *gaudium et corona* sororum;

(12) pone mentem tuam in speculo aeternitatis, pone animam tuam in *splendore gloriae,*
(13) pone cor tuum in *figura* divinae *substantiae* et *transforma* te ipsam totam per contemplationem *in imagine* divinitatis ipsius,

(14) ut et ipsa sentias quod sentiunt amici gustando *absconditam dulcedinem,* quam ipse Deus ab initio suis amatoribus reservavit.

6. cf. Ct 3, 4; cf. Gn 3, 1 | 7. cf. Mt 13, 44; cf. Jn 1, 3 | 8. cf. 1 Co 3, 9; cf. Rm 16, 3 | 10. cf. Ph 4, 4 | 11. cf. Ph 4, 1 | 12. cf. He 1, 3 | 13. cf. He 1, 3; cf. 2 Co 3, 18 | 14. cf. Ps 30, 20; cf. 1 Co 2, 9

(5) Vraiment je puis me réjouir et personne ne pourrait me rendre étrangère à tant de joie, (6) lorsque, tenant déjà ce que sous le ciel j'ai convoité, je te vois, soutenue par une merveilleuse prérogative de sagesse provenant de la bouche même de Dieu, supplanter d'une manière terrible et inopinée les astuces de l'ennemi rusé, l'orgueil qui perd la nature humaine, la vanité qui rend sots les cœurs humains ; (7) et que je te vois embrasser avec l'humilité, la force de la foi et les bras de la pauvreté, le trésor incomparable caché dans le champ du monde et des cœurs humains, par lequel on achète celui par qui [4] tout a été fait de rien ; (8) et pour utiliser les propres paroles de l'Apôtre même, je te considère comme une auxiliaire de Dieu même et celle qui soulève les membres succombants de son corps ineffable.

(9) Qui donc dirait que je ne me réjouis pas de tant d'admirables joies ? (10) Toi aussi, donc, réjouis-toi toujours dans le Seigneur, très chère, (11) et que ne t'enveloppent ni l'amertume ni le brouillard, ô dame très aimée en Christ, joie des anges et couronne des sœurs ;

(12) pose ton esprit sur le miroir de l'éternité, pose ton âme dans la splendeur de la gloire,
(13) pose ton cœur sur l'effigie de la divine substance et transforme-toi tout entière par la contemplation dans l'image de sa divinité,

(14) afin de ressentir toi aussi ce que ressentent les amis en goûtant la douceur cachée que Dieu lui-même a, dès le commencement, réservée à ses amants. (15) Et

---

4. Litt. « ce par quoi » : le texte latin a le neutre. Néanmoins, comme c'est la personne de Dieu qui est désignée, nous traduisons au masculin.

(15) Et omnibus qui in fallaci mundo perturbabili suos caecos amatores illaqueant penitus praetermissis, illum totaliter diligas, qui se totum pro tua dilectione donavit, (16) *CUIUS PULCHRITUDINEM SOL ET LUNA MIRANTUR*, cuius praemiorum et eorum pretiositatis et *magnitudinis non est finis;* (17) illum dico Altissimi Filium, quem Virgo peperit et post cuius partum virgo permansit.

(18) Ipsius dulcissimae matri adhaereas, quae talem genuit Filium, quem *caeli capere non poterant,* (19) et tamen ipsa parvulo claustro sacri uteri contulit et gremio puellari gestavit.

(20) Quis non abhorreat humani hostis insidias, qui per fastum momentaneorum et fallacium gloriarum ad nihilum redigere cogit quod maius est caelo? (21) Ecce iam liquet per Dei gratiam dignissimam creaturarum fidelis hominis animam maiorem esse quam caelum, (22) cum *caeli* cum creaturis ceteris *capere nequeant* Creatorem, et sola fidelis anima ipsius *mansio* sit et sedes, et hoc solum per caritatem qua carent impii, (23) Veritate dicente: *Qui diligit me diligetur a Patre meo, et ego diligam eum, et ad eum veniemus et mansionem apud eum faciemus.*

15. cf. Ga 2, 20 | 16. cf. Index II (Bréviaire, 21 janvier); Ps 144, 3 | 17. cf. Index II (Bréviaire, 25 mars) | 18. cf. 3 R 8, 27; cf. 2 Chr 2, 6; cf. Index II (Bréviaire, 25 mars) | 22. cf. 2 Chr 2, 6; cf. 3 R 8, 27; cf. Jn 14, 23 | 23. Jn 14, 21; Jn 14, 23

laissant absolument de côté tous ceux qui, dans le monde trompeur et instable, séduisent leurs amants aveugles, aime totalement celui qui pour ton amour s'est donné tout entier, (16) dont le soleil et la lune admirent la beauté, dont les récompenses et leur prix et leur grandeur sont sans fin ; (17) je veux dire le Fils du Très-Haut, que la Vierge a enfanté et après l'enfantement duquel elle demeura vierge. (18) Attache-toi à sa très douce mère qui a enfanté un tel Fils que les cieux ne pouvaient contenir, (19) et elle, cependant, l'a recueilli dans le petit enclos[5] de son ventre saint et l'a porté dans son sein de jeune fille.

(20) Qui n'abhorrerait les embûches de l'ennemi du genre humain qui, par le faste des gloires momentanées et trompeuses, s'efforce de réduire à rien ce qui est plus grand que le ciel ? (21) En effet il est d'autre part clair que, par la grâce de Dieu, la plus digne des créatures, l'âme de l'homme fidèle est plus grande que le ciel, (22) puisque les cieux, avec les autres créatures, ne peuvent contenir le Créateur et seule l'âme fidèle est sa demeure et son siège, et cela seulement par la charité dont manquent les impies. (23) La Vérité le dit : Celui qui m'aime, mon Père l'aimera, et moi aussi je l'aimerai, et nous viendrons à lui et nous ferons chez lui notre demeure.

---

5. Le mot *claustrum* (espace délimité, enclos) ne comporte aucune allusion au cloître ni à la clôture. C'est une expression poétique, attestée par l'usage liturgique et désignant le sein de Marie où l'immensité de Dieu a voulu être contenue. En témoigne cette hymne à Marie, composée par Venance Fortunat (VIᵉ siècle) et assignée aux matines du commun de la Vierge :
Quem terra, pontus, aethera, Colunt, adorant, praedicant,
Trinam regentem machinam, Claustrum Mariae bajulat.
« Celui que terre, mer, cieux, Honorent, adorent, proclament,
Qui gouverne ce triple univers, Dans son enclos Marie le porte. »

(24) Sicut ergo Virgo virginum gloriosa materialiter, (25) sic et tu, *sequens eius vestigia,* humilitatis praesertim et paupertatis, casto et virgineo corpore spiritualiter semper sine dubietate omni portare potes, (26) illum *continens* a quo tu et *omnia continentur,* illud possidens quod et comparate cum ceteris huius mundi possessionibus transeuntibus fortius possidebis. (27) In quo quidam mundani reges et reginae falluntur, (28) quorum superbiae usque ad caelum licet ascenderint et caput earum nubes tetigerit, quasi sterquillinium in fine perducuntur.

(29) Super his autem quae me iam tibi reserare mandasti, (30) quae scilicet essent festa quae forte, ut te opinor aliquatenus aestimasse, in varietate ciborum gloriosissimus pater noster sanctus Franciscus nos celebrare specialiter monuisset, caritati tuae duxi respondendum. (31) Noverit quidem tua prudentia, quod praeter debiles et infirmas, quibus de quibuscumque cibariis omnem discretionem quam possemus facere nos monuit et mandavit, (32) nulla nostrum sana et valida nisi cibaria quadragesimalia tantum, tam in diebus ferialibus quam festivis, manducare deberet, die quolibet

25. cf. 1 P 2, 21 | 26. cf. Sg 1, 7 | 27-28. cf. Is 14, 11-15 | 31. cf. Index III (Grég. IX)

6. Aux versets 29-41, Claire évoque la pratique du jeûne à Saint-Damien, pratique qu'elle fait dépendre de consignes données par François. A comparer avec ce qu'elle dit en *RegCl* 3, 8-11. De façon traditionnelle, le jeûne consiste à ne prendre qu'un repas par jour, composé de céréales, légumes et fruits, de préférence crus et sans graisse végétale. Les viandes et la graisse animale ne font pas partie des aliments autorisés, des « aliments de carême ». Il y a hésitation pour les laitages et les œufs. L'eau est toujours permise ; un verre de vin est même conseillé lors du repas. Rompre le jeûne consiste donc à

(24) De même donc que la glorieuse Vierge des vierges l'a porté matériellement, (25) de même toi aussi, suivant ses traces, d'humilité surtout et de pauvreté, tu peux toujours le porter, sans aucun doute, spirituellement dans un corps chaste et virginal, (26) contenant celui par qui toi et toutes choses sont contenues, possédant ce que, par comparaison avec les autres possessions transitoires de ce monde, tu posséderas plus fortement. (27) En cela certains rois et certaines reines du monde se trompent ; (28) bien que leur superbe soit montée jusqu'au ciel et que leurs têtes aient touché les nues, à la fin ils sont réduits pour ainsi dire à du fumier.

(29) A propos des choses pour lesquelles tu m'as déjà demandé de m'ouvrir à toi[6], (30) à savoir quelles seraient les fêtes que notre très glorieux père saint François nous aurait averties de célébrer spécialement par une variation dans la nourriture, — comme je crois que tu l'as également estimé —, j'ai pensé qu'il fallait répondre à ta charité. (31) Ta prudence aura appris que, excepté les faibles et les malades pour lesquelles il nous a averties et nous a demandé d'avoir toute la discrétion[7] que nous pourrions au sujet de quelque aliment que ce soit, (32) nulle d'entre nous, bien portante et valide, ne devrait manger que les aliments de carême, tant les jours fériés que les jours festifs, en

prendre deux repas dans la journée et à manger de la viande et autres aliments dont on s'abstient en période de jeûne. C'est ce que François voulait en tout cas pour les dimanches et la fête de Noël. Le pape Grégoire IX, par la bulle *Licet velut ignis* du 9 février 1237, imposa à tous les monastères de l'Ordre de Saint-Damien l'abstinence totale de viande « à l'imitation des Cisterciens » (*Bullarium Franciscanum* I, p. 209-210). Pour le jeûne en général, cf. P. Deseille, « Jeûne », dans *Dictionnaire de Spiritualité* 8 (1974), c. 1164-1175.

7. Claire utilise beaucoup la notion de discrétion : cf. *3 LAg* 40 ; *RegCl* 2, 10.16.19 ; 4, 23-24 ; 5, 3.7 ; 7, 5 ; 8, 11.20 ; 9, 18 ; 11, 1 ; 12, 5 ; *TestCl* 63. Il s'agit du bon jugement, de l'art de discerner.

ieiunando, (33) exceptis diebus dominicis et Natalis Domini, in quibus bis in die comedere deberemus. (34) Et in diebus quoque Iovis solitis temporibus pro voluntate cuiuslibet, ut quae scilicet nollet, ieiunare non teneretur. (35) Nos tamen sanae ieiunamus quotidie praeter dies dominicos et Natalis. (36) In omni vero Pascha, ut scriptum beati Francisci dicit, et festivitatibus sanctae Mariae ac sanctorum apostolorum ieiunare etiam non tenemur, nisi haec festa in sexta feria evenirent; (37) et sicut praedictum est, semper quae sanae sumus et validae, cibaria quadragesimalia manducamus.

(38) Verum quia *nec caro* nostra *caro aenea est nec fortitudo lapidis fortitudo* nostra, (39) immo fragiles et omni corporali sumus debilitati proclivae, (40) a quadam indiscreta et impossibili abstinentiae austeritate quam te aggressam esse cognovi, sapienter, carissima, et discrete te retrahi rogo et in Domino peto, (41) ut *vivens confiteris* Domino, *rationabile* tuum Domino reddas *obsequium* et tuum *sacrificium* semper *sale conditum.*

(42) Vale semper in Domino, sicut me valere peropto, et tam me quam meas sorores tuis sacris orationibus recommenda.

38. Jb 6, 12 | 41. Is 38, 19; cf. Si 17, 27; cf. Rm 12, 1; Lv 2, 13; Col 4, 6.

jeûnant tous les jours, (33) excepté les dimanches et le
jour de la Nativité du Seigneur, où nous devrions
manger deux fois dans la journée. (34) Et les jeudis
aussi, en temps ordinaire, à la volonté de chacune, à
savoir que celle qui ne le voudrait pas ne serait pas
tenue de jeûner. (35) Nous cependant, bien portantes,
nous jeûnons chaque jour, excepté les dimanches et le
jour de la Nativité. (36) Tout le temps de Pâques,
comme le dit l'écrit [8] du bienheureux François, et aux
fêtes de sainte Marie et des saints Apôtres, nous ne
sommes pas non plus tenues de jeûner, sauf si ces fêtes
tombent un vendredi ; (37) et comme il a été dit plus
haut, tant que nous sommes bien portantes et valides,
nous mangeons les aliments de carême.

(38) Mais parce que notre chair n'est pas une chair de
bronze et notre force n'est pas la force de la pierre,
(39) que bien au contraire nous sommes fragiles et
enclines à toutes les faiblesses corporelles, (40) très
chère, je te prie et te demande dans le Seigneur de te
détourner sagement et discrètement d'une certaine aus-
térité dans l'abstinence, indiscrète et impossible, que j'ai
appris que tu avais entreprise, (41) pour que vivante tu
confesses le Seigneur, que tu rendes au Seigneur un
hommage raisonnable et ton sacrifice toujours assai-
sonné de sel.

(42) Porte-toi toujours bien dans le Seigneur, comme
je souhaite me bien porter, et tant moi que mes sœurs,
recommande-nous dans tes saintes prières.

---

8. Écrit malheureusement perdu, comme la lettre d'Agnès à
laquelle Claire répond.

EPISTOLA QUARTA
AD BEATAM AGNETEM DE PRAGA

(1) Animae suae dimidiae et praecordialis amoris armariae singularis, illustri reginae, Agni Regis aeterni sponsae, dominae Agneti, matri suae carissimae ac filiae inter omnes alias speciali, (2) Clara, indigna Christi famula et ancilla *inutilis* ancillarum eius commorantium in monasterio Sancti Damiani de Assisio, (3) salutem et cum reliquis sanctissimis virginibus ante thronum Dei et Agni *novum cantare canticum* et *quocumque ierit Agnum sequi.*

(4) O *mater* et filia, *sponsa* Regis omnium saeculorum, et si tibi non scripsi frequenter, prout anima tua et mea pariter desiderat et peroptat aliquatenus, non mireris (5) nec credas ullatenus incendium caritatis erga te minus ardere suaviter in visceribus matris tuae. (6) Hoc est impedimentum defectus nuntiorum et viarum

2. cf. Lc 17, 10 | 3. Ap 14, 3-4 | 4. cf. Mt 12, 50 ; cf. 2 Co 11, 2 ; 2 LFid 49-50

QUATRIÈME LETTRE
A LA BIENHEUREUSE AGNÈS DE PRAGUE
(entre février et début août 1253)

(1) A la moitié de son âme et au réceptacle[1] de l'amour singulier de son cœur, à l'illustre reine, à l'épouse de l'Agneau Roi éternel, à dame Agnès, sa mère très chère et sa fille particulière[2] entre toutes les autres, (2) Claire, indigne servante du Christ et servante inutile des servantes du Christ qui demeurent dans le monastère de Saint-Damien d'Assise, (3) salut et qu'avec les autres vierges très saintes, elle chante le cantique nouveau devant le trône de Dieu et de l'Agneau et qu'elle suive l'Agneau partout où il ira[3].

(4) Ô mère et fille, épouse du Roi de tous les siècles, si je ne t'ai pas écrit fréquemment, autant que ton âme et la mienne le désirent et le souhaitent également, ne t'en étonne pas (5) et ne crois aucunement que l'incendie de la charité à ton égard brûle moins suavement dans les entrailles de ta mère. (6) Voici l'empêchement : le manque de messagers et les périls

1. Litt. « armoire ».
2. Litt. « spéciale ».
3. Claire fait un jeu de mots avec agneau et le nom d'Agnès, pour souligner la relation étroite qui les unit.

pericula manifesta. (7) Nunc vero scribens caritati tuae
congaudeo et exsulto tibi *in gaudio spiritus,* sponsa
Christi, (8) quia velut altera virgo sanctissima, sancta
Agnes, *Agno immaculato, qui tollit peccata mundi,* es
mirifice desponsata, sumptis omnibus vanitatibus huius
mundi.

(9) Felix certe
cui hoc sacro datur potiri convivio,
ut ei adhaereatur totis cordis praecordiis,

(10) cuius pulchritudinem
omnia beata caelorum agmina
incessabiliter admirantur,

(11) cuius affectus afficit,
cuius contemplatio reficit,
cuius implet benignitas,

(12) cuius replet suavitas,
cuius memoria lucescit suaviter,

(13) *CUIUS ODORE MORTUI REVIVISCENT,*
cuius visio gloriosa beatificabit
omnes cives supernae Jerusalem :

(14) quae *cum sit splendor* aeternae *gloriae,
candor lucis aeternae
et speculum sine macula.*

---

7. cf. 1 Th 1, 6 | 8. 1 P 1, 19 ; Jn 1, 29 ; cf. 2 Co 11, 2. | 9. cf. Lc
14, 15 ; Ap 19, 9 | 10. cf. 1 P 1, 12 | 13. cf. Index III (Ps.-Ambroise,
Ep. I) ; cf. Ap 21, 2.10 | 14. He 1, 3 ; Sg 7, 26

manifestes des routes[4]. (7) Mais maintenant, écrivant à ta charité, je me réjouis et j'exulte avec toi dans la joie de l'Esprit, épouse du Christ, (8) parce que, comme l'autre vierge très sainte, sainte Agnès, tu as été merveilleusement fiancée à l'Agneau immaculé qui enlève les péchés du monde, ayant délaissé toutes les vanités de ce monde.

(9) Heureuse certes
celle à qui il est donné de jouir de ce banquet sacré
pour s'attacher de toutes les fibres de son cœur
à celui

(10) dont toutes les bienheureuses armées des cieux
admirent sans cesse la beauté,

(11) dont l'affection affecte,
dont la contemplation refait,
dont la bienveillance comble,

(12) dont la suavité remplit,
dont la mémoire brille suavement ;

(13) à son odeur les morts revivront,
sa vision glorieuse rendra bienheureux
tous les citoyens de la Jérusalem d'en-haut,

(14) puisqu'il[5] est la splendeur de la gloire éternelle,
l'éclat de la lumière éternelle
et le miroir sans tache.

4. Litt. « voies ».
5. Le texte latin a *quae*, qu'il faudrait donc traduire par *elle*. Mais c'est bien évidemment du Christ qu'il s'agit, et non de la Jérusalem céleste. C'est pourquoi nous traduisons au masculin.

(15) Hoc speculum quotidie intuere, o regina, *sponsa* Jesu Christi, et in eo faciem tuam iugiter speculare, (16) ut sic totam interius et exterius te adornes amictam *circumdatam* que *varietatibus,* (17) omnium virtutum floribus et vestimentis pariter adornata, sicut decet, filia et sponsa carissima summi Regis. (18) In hoc autem speculo refulget beata paupertas, sancta humilitas et ineffabilis caritas, sicut per totum speculum poteris cum Dei gratia contemplari.

(19) Attende, inquam, principium huius speculi pau-pertatem positi siquidem *in praesepio* et *in panniculis involuti.* (20) O miranda humilitas, o stupenda pau-pertas! (21) Rex angelorum, *Dominus caeli et terrae* in praesepio reclinatur. (22) In medio autem speculi consi-dera humilitatem, saltem beatam paupertatem, labores innumeros ac poenalitates quas sustinuit pro redemp-tione humani generis. (23) In fine vero eiusdem speculi contemplare ineffabilem caritatem, qua pati voluit in crucis stipite et in eodem mori omni mortis genere turpiori.

(24) Unde ipsum speculum, in ligno crucis positum, hic consideranda transeuntes monebat dicens: (25) *O vos omnes qui transitis per viam, attendite et videte si est dolor sicut dolor meus;* (26) respondeamus, inquit, ei clamanti et eiulanti una voce, uno spiritu: *Memoria memor ero et tabescet in me anima mea.*

---

15. cf. 2 Co 11, 2 | 16. Ps 44, 10 | 17. cf. Ps 44, 11-12 | 19. cf. Lc 2, 12; cf. Index III (Grég. IX) | 21. cf. Mt 11, 25 | 25. Lm 1, 12 | 26. Lm 3, 20

4e LETTRE A AGNÈS

(15) Ce miroir [6], regarde-le chaque jour, ô reine, épouse de Jésus-Christ, et mire sans cesse en lui ta face, (16) pour ainsi tout entière, intérieurement et extérieurement, te parer, drapée et enveloppée dans des étoffes variées, (17) parée également des fleurs et des vêtements de toutes les vertus, comme il convient, fille et épouse très chère du souverain Roi. (18) Dans ce miroir resplendit la bienheureuse pauvreté, la sainte humilité et l'ineffable charité, comme, avec la grâce de Dieu, tu pourras le contempler par tout le miroir.

(19) Considère, dis-je, le principe de ce miroir, la pauvreté de celui qui a été déposé dans une crèche et enveloppé de petits langes. (20) Ô admirable humilité, ô stupéfiante pauvreté ! (21) Le Roi des anges, le Seigneur du ciel et de la terre est couché dans une crèche. (22) Au milieu du miroir, considère l'humilité, du moins la bienheureuse pauvreté, les labeurs sans nombre et les peines qu'il supporta pour la rédemption du genre humain. (23) Et à la fin de ce même miroir, contemple l'ineffable charité par laquelle il a voulu souffrir sur le poteau de la croix et mourir là du genre de mort le plus honteux de tous.

(24) Aussi ce miroir, posé sur le bois de la croix, avertissait lui-même les passants de ce qu'il fallait considérer là : (25) Ô vous tous qui passez par le chemin, considérez et voyez s'il est une douleur comme ma douleur ! (26) Alors répondons d'une seule voix, d'un seul esprit, à celui qui crie et se lamente : Dans ma mémoire je me souviendrai et mon âme en moi se liquéfiera.

6. Le thème du miroir, déjà évoqué par Claire en *3 LAg* 12, sera encore développé en *TestCl* 19-21. Thème célèbre au Moyen Age : voir M. SCHMIDT, « Miroir », dans *Dictionnaire de Spiritualité* 10 (1980), c. 1290-1303.

(27) Huius igitur caritatis ardore accendaris iugiter fortius, o regina caelestis Regis! (28) Contemplans insuper indicibiles eius delicias, divitias et honores perpetuos (29) et suspirando prae nimio cordis desiderio et amore proclames:

(30) *Trahe me post te,*
curremus in odorem unguentorum tuorum,
sponse caelestis!

(31) Curram nec deficiam,
donec *introducas me in cellam vinariam,*
(32) donec *laeva* tua sit *sub capite meo*
et dextera feliciter *amplexabitur me,*
osculeris me felicissimo tui *oris osculo.*

(33) In hac contemplatione posita, habeas memoriam pauperculae matris tuae, (34) sciens quod ego tuam felicem memoriam *descripsi* inseparabiliter *in tabulis cordis* mei, habens te prae omnibus cariorem.

(35) Quid plura? Sileat in dilectione tua lingua carnis; hoc inquit et loquatur lingua spiritus. (36) O filia benedicta, quoniam dilectionem, quam ad te habeo, nullatenus posset exprimere plenius lingua carnis, (37) hoc inquit quae semiplene scripsi, oro benigne ac devote suscipias, attendens in eis saltem affectum maternum, quo circa te ac filias tuas caritatis ardore afficior omni die, quibus me ac filias meas in Christo plurimum recommenda. (38) Ipsae vero filiae meae, sed praecipue

30. Ct 1, 3 | 31. Ct 2, 4 | 32. Ct 2, 6; 8, 3; 1, 1 | 34. Pr 3, 3; cf. 2 Co 3, 3

(27) Puisses-tu donc, ô reine du Roi céleste, être sans cesse plus fortement embrasée de l'ardeur de cette charité ! (28) De plus, contemplant ses indicibles délices, ses richesses et ses honneurs perpétuels, (29) et en soupirant dans le désir et l'amour extrêmes de ton cœur, exclame-toi :

(30) Entraîne-moi derrière toi,
nous courrons vers l'odeur de tes parfums,
époux céleste !

(31) Je courrai, je ne défaillirai pas,
jusqu'à ce que tu m'introduises dans le cellier à vin,
(32) jusqu'à ce que ta gauche soit sous ma tête,
et que ta droite heureusement m'embrasse,
que tu me baises du plus heureux baiser de ta bouche.

(33) Placée dans cette contemplation, aie mémoire de ta toute pauvre mère, (34) sachant que moi j'ai inscrit ton heureuse mémoire, de façon indélébile, sur les tablettes de mon cœur, te tenant pour plus chère entre toutes.

(35) Que dire de plus ? Que, dans la dilection de toi, se taise la langue de la chair ; ou plutôt, que parle la langue de l'esprit. (36) Ô fille bénie, puisque la dilection que j'ai pour toi, la langue de la chair ne pourrait en aucune façon l'exprimer plus pleinement, (37) ce que je t'ai écrit incomplètement, je te prie de le recevoir avec bienveillance et dévotion, considérant en cela au moins mon affection maternelle, par laquelle tous les jours je suis affectée de l'ardeur de la charité envers toi et tes filles ; recommande-leur beaucoup moi-même et mes filles dans le Christ. (38) Mes filles

virgo prudentissima Agnes, soror nostra, se tibi et filiabus tuis, quantum possunt, in Domino recommendant.

(39) Vale, carissima filia, cum filiabus tuis usque ad thronum *gloriae magni Dei* et optate *pro nobis.*

(40) Latores praesentium carissimos nostros fratrem Amatum, *dilectum Deo et hominibus,* et fratrem Bonaguram caritati tuae, quantum possum, praesentibus recommendo. Amen.

39. cf. Tt 2, 13 ; cf. 1 Th 5, 25 | 40. Si 45, 1.

elles-mêmes, mais surtout la vierge très prudente Agnès [7], notre sœur, se recommandent dans le Seigneur, autant qu'elles le peuvent, à toi et à tes filles.

(39) Porte-toi bien, très chère fille, avec tes filles jusqu'au trône de gloire du grand Dieu et formez des souhaits pour nous.

(40) Par la présente, je recommande à ta charité, autant que je le puis, les porteurs de la présente, nos très chers frère Aimé, bien-aimé de Dieu et des hommes, et frère Bonaugure [8]. Amen.

7. Agnès, sœur de Claire, née en 1198, rejoignit sa sœur quelques jours à peine après son départ de la maison familiale. Elle fut envoyée en 1219 comme abbesse au monastère de Monticelli, près de Florence. Elle revint à Saint-Damien au début de 1253 et y mourut le 16 novembre 1253. Cf. A. DE SERENT, «Agnès d'Assise», dans *Dictionnaire d'Histoire et de Géographie Ecclésiastiques* 1 (1912), c. 976-977.

8. Ces frères ne sont pas connus par ailleurs.

REGULA

[Innocentius, episcopus, servus servorum Dei, dilectis in Christo filiabus, Clarae abbatissae aliisque sororibus monasterii Sancti Damiani Assisinatis, salutem et apostolicam benedictionem. Solet annuere Sedes Apostolica piis votis et honestis petentium precibus favorem benevolum impertiri. Ex parte siquidem vestra nobis exstitit humiliter supplicatum, ut cum vitae formulam, iuxta quam communiter in spirituum unitate ac voto *altissimae paupertatis* vivere debetis, vobis a beato Francisco traditam et a vobis sponte susceptam, venerabilis frater noster Ostiensis et Velletrensis episcopus duxerit approbandam, secundum quod in ipsius episcopi litteris confectis exinde plenius continetur, nos id curaremus apostolico munimine roborari. Devotionis igitur vestrae precibus inclinati, quod ab eodem episcopo super hoc factum est ratum habentes et gratum, illud auctoritate apostolica confirmamus et praesentis scripti patrocinio communimus, tenorem litterarum ipsarum de verbo ad verbum praesentibus inseri facientes, qui talis est:

Raynaldus, miseratione divina Ostiensis et Velletrensis episcopus, carissimae sibi in Christo matri et filiae dominae Clarae, abbatissae Sancti Damiani Assisi-

Prol. cf. 2 Co 8, 2

RÈGLE

[Innocent, évêque, serviteur des serviteurs de Dieu, aux filles bien-aimées en Christ, Claire, abbesse, et les autres sœurs du monastère de Saint-Damien d'Assise, salut et bénédiction apostolique. Le Siège Apostolique a coutume de donner satisfaction aux vœux pieux et d'accorder sa faveur bienveillante aux justes[1] désirs des demandeurs. De votre part, en effet, existe une humble supplique : que nous ayons soin de confirmer, par garantie apostolique, la forme de vie selon laquelle vous devez vivre en commun, dans l'unité des esprits et le vœu de la très haute pauvreté, forme de vie à vous transmise par le bienheureux François et que vous avez reçue spontanément, et que notre vénérable frère l'évêque d'Ostie et de Velletri a jugé bon d'approuver selon ce qui est contenu plus pleinement dans la lettre rédigée par l'évêque lui-même. Fléchi donc par les prières de votre dévotion, tenant pour ratifié et agréé ce qui fut fait à ce sujet par ce même évêque, nous le confirmons par autorité apostolique et nous le munissons de la protection du présent écrit, faisant insérer mot à mot la teneur de cette lettre dans la présente ; cette lettre est la suivante :

Raynald, par la miséricorde divine évêque d'Ostie et de Velletri, à sa très chère mère et fille en Christ, dame Claire, abbesse de Saint-Damien d'Assise, et à ses sœurs

---

1. Litt. « honnêtes ».

natis, eiusque sororibus, tam praesentibus quam futuris, salutem et benedictionem paternam. Quia vos, dilectae in Christo filiae, mundi pompas et delicias contempsistis et ipsius Christi et eius sanctissimae matris *sequentes vestigia* elegistis habitare incluso corpore et in paupertate summa Domino deservire, ut mente libera possitis Domino famulari, nos vestrum sanctum propositum in Domino commendantes, votis vestris et sanctis desideriis libenter volumus affectu paterno favorem benevolum impertiri. Eapropter vestris piis precibus inclinati, formam vitae et modum sanctae unitatis et *altissimae paupertatis* quam vobis beatus pater vester sanctus Franciscus verbo et scripto tradidit observandam, praesentibus annotatam, auctoritate domini papae et nostra vobis omnibus vobisque in vestro monasterio succedentibus in perpetuum confirmamus et praesentis scripti patrocinio communimus. Quae talis est :]

cf. 1 P 2, 21 ; cf. 2 Co 8, 2

2. Litt. « incluses » : cf. *1 LAg* 2. C'est l'unique occurrence de ce mot dans la Règle et encore est-ce dans le texte de la bulle et non dans le texte de la Règle elle-même. Que Claire et ses sœurs vivent sédentaires dans un lieu retiré, cela découle de toutes les sources primitives. Elles n'en vivent pas pour autant isolées ni enfermées. Le mot *clausura,* clôture, n'existe pas dans les écrits de Claire. Pour une

tant présentes que futures, salut et bénédiction paternelle. Parce que vous, filles bien-aimées en Christ, avez méprisé les pompes et les délices du monde, et, suivant les traces du Christ lui-même et de sa très sainte mère, avez choisi d'habiter enfermées[2] de corps et de servir le Seigneur dans la souveraine pauvreté, afin de pouvoir, d'un esprit libre, servir le Seigneur, nous, recommandant dans le Seigneur votre saint propos, volontiers nous voulons, avec une affection paternelle, accorder une faveur bienveillante à vos vœux et à vos saints désirs. C'est pourquoi, fléchi par vos pieuses prières, nous confirmons à perpétuité, par l'autorité du seigneur pape et par la nôtre, pour vous toutes et pour celles qui vous succéderont dans votre monastère, et nous munissons de la protection du présent écrit la forme de vie et le mode de sainte unité et de très haute pauvreté que votre bienheureux père saint François, en parole et par écrit, vous transmit pour l'observer; rapportée par la présente, cette forme de vie est la suivante:]

bonne connaissance de cette délicate question, voir J. LECLERCQ, «Clausura», dans *Dizionario degli Istituti di Perfezione* 2 (1975), c. 1166-1174; ID., «Il monachesimo femminile nei secoli XII e XIII», dans *Movimento religioso femminile e francescanesimo nel secolo XIII*, Assise 1980, p. 61-99. Pour l'approche de cette question dans le contexte de Saint-Damien, les derniers travaux publiés sont: Ch.A. LAINATI, «La clôture de sainte Claire et des premières Clarisses dans la législation canonique et dans la pratique», dans *Laurentianum* 14 (1973), p. 223-250; E. GRAU, «Die Klausur im Kloster S. Damiano zu Lebzeiten der heiligen Klara», dans *Studia historico-ecclesiastica. Festgabe für Prof. Luchesius G. Spätling OFM*, Rome 1977, p. 311-346.

[CAPUT I]

[IN NOMINE DOMINI!
INCIPIT FORMA VITAE SORORUM PAUPERUM]

(1) Forma vitae Ordinis Sororum Pauperum, quam beatus Franciscus instituit, HAEC EST: (2) DOMINI NOSTRI JESU CHRISTI SANCTUM EVANGELIUM OBSERVARE, VIVENDO IN OBEDIENTIA, SINE PROPRIO ET IN CASTITATE. (3) Clara, indigna ancilla Christi et plantula beatissimi patris Francisci, PROMITTIT OBEDIENTIAM ET REVERENTIAM DOMINO PAPAE Innocentio ET SUCCESSORIBUS EIUS CANONICE INTRANTIBUS ET ECCLESIAE ROMANAE. (4) Et sicut in principio conversionis suae una cum sororibus suis promisit obedientiam beato Francisco, ita eamdem promittit inviolabiliter servare successoribus suis. (5) ET ALIAE sorores TENEANTUR semper SUCCESSORIBUS beati Francisci et sorori Clarae et aliis abbatissis canonice electis ei succedentibus OBEDIRE.

[CAPUT II]

[DE HIS QUAE VOLUNT VITAM ISTAM ACCIPERE,
ET QUALITER RECIPI DEBEANT]

(1) SI QUA DIVINA INSPIRATIONE VENERIT AD NOS VOLENS VITAM ISTAM ACCIPERE, abbatissa sororum om-

Cap. 1 1-3. 2 Reg 1, 1-2 | 5. 2 Reg 1, 3
Cap. 2 1. 3-11. 2 Reg 2, 1-9 | 1. 1 Reg 2, 1

[1]

[AU NOM DU SEIGNEUR !
ICI COMMENCE LA FORME DE VIE DES SŒURS PAUVRES]

(1) La forme de vie de l'Ordre des Sœurs Pauvres[3], que le bienheureux François institua[4], est celle-ci : (2) observer le saint évangile de notre Seigneur Jésus-Christ, en vivant dans l'obéissance, sans rien en propre, et dans la chasteté. (3) Claire, indigne servante du Christ et petite plante du très bienheureux père François, promet obéissance et révérence au seigneur pape Innocent et à ses successeurs canoniquement élus et à l'Église romaine. (4) Et comme au commencement de sa conversion, ensemble avec ses sœurs, elle promit obéissance au bienheureux François, ainsi elle promet d'observer inviolablement la même obéissance à ses successeurs. (5) Et que les autres sœurs soient tenues d'obéir toujours aux successeurs du bienheureux François et à sœur Claire et aux autres abbesses canoniquement élues qui lui succéderont.

[2]

[DE CELLES QUI VEULENT ACCEPTER CETTE VIE
ET COMMENT ELLES DOIVENT ÊTRE REÇUES]

(1) Si quelqu'une par inspiration divine venait à nous, voulant accepter cette vie, que l'abbesse soit tenue de

3. L'appellation Ordre des Sœurs Pauvres correspond à celle d'Ordre des Frères Mineurs. Claire manifeste ainsi d'emblée la similitude d'identité et de propos des Sœurs avec les Frères : fraternité et pauvreté.

4. La forme de vie des Sœurs Pauvres vient donc de François lui-même, comme l'atteste Claire.

nium consensum requirere teneatur; (2) et si maior pars consenserit, habita licentia domini cardinalis protectoris nostri, possit eam recipere. (3) Et si recipiendam viderit, DILIGENTER EXAMINET eam vel examinari faciat DE FIDE CATHOLICA ET ECCLESIASTICIS SACRAMENTIS. (4) ET SI HAEC OMNIA CREDAT ET VELIT EA FIDELITER CONFITERI ET USQUE IN FINEM FIRMITER OBSERVARE (5) ET virum NON HABET VEL, SI HABET, ET IAM religionem INTRAVIT AUCTORITATE DIOECESANI EPISCOPI, VOTO CONTINENTIAE IAM EMISSO, *AETATE* etiam *LONGAEVA VEL INFIRMITATE ALIQUA SEU FATUITATE AD HUIUS VITAE OBSERVANTIAM* non impediente, (6) DILIGENTER EXPONATUR EI TENOR VITAE NOSTRAE. (7) Et si idonea fuerit, DICATUR EI VERBUM SANCTI EVANGELII, QUOD *vadat* ET *vendat* OMNIA SUA ET EA STUDEAT *pauperibus* EROGARE. (8) QUOD SI FACERE NON POTUERIT, SUFFICIT EI BONA VOLUNTAS. (9) ET CAVEANT abbatissa et eius sorores NE SOLLICITAE SINT DE REBUS SUIS TEMPORALIBUS, UT LIBERE FACIAT DE REBUS SUIS QUIDQUID DOMINUS INSPIRAVERIT EI. (10) SI TAMEN CONSILIUM REQUIRATUR, MITTANT EAM AD ALIQUOS discretos et *Deum timentes,* QUORUM CONSILIO BONA SUA PAUPERIBUS EROGENTUR. (11) Postea capillis tonsis in rotundum et deposito habitu saeculari, CONCEDAT EI tres tunicas et mantellum. (12) Deinceps extra monasterium sine utili, rationabili, manifesta et probabili causa eidem EXIRE NON LICEAT. (13) FINITO VERO ANNO PROBA-

---

5. cf. Index III (Reg.Hug.) | 7. 1 Reg 2, 3; cf. Mt 19, 21 | 10. cf. Ac 13, 16 | 12. 2 Reg 2, 12 | 13. 2 Reg 2, 11

---

5. *Reg.Hug.* 4: «... quae vel longiori aetate vel infirmitate aliqua seu fatua simplicitate ad huius vitae observantiam minus sufficiens et idonea comprobatur.» — «...qui, par suite ou d'un âge avancé ou de quelque infirmité ou de simplicité d'esprit, est reconnue trop peu adéquate et apte à l'observance de cette vie».

requérir le consentement de toutes les sœurs ; (2) et si la plus grande partie y consent, ayant obtenu la permission du seigneur cardinal notre protecteur, qu'elle puisse la recevoir. (3) Et si elle voit qu'elle doit être reçue, qu'elle l'examine soigneusement ou qu'elle la fasse examiner sur la foi catholique et sur les sacrements de l'Église. (4) Et si elle croit tout cela et veut le confesser fidèlement et l'observer fermement jusqu'à la fin, (5) et si elle n'a pas d'époux, ou si elle en a un et qu'il soit déjà entré en religion avec l'autorisation de l'évêque diocésain, ayant déjà fait vœu de continence, et enfin si un âge avancé ni quelque infirmité ni une débilité mentale n'empêche l'observance de cette vie [5], (6) qu'on lui expose soigneusement la teneur de notre vie. (7) Et si elle est apte, qu'on lui dise la parole du saint évangile, d'aller et de vendre tous ses biens et de s'appliquer à les distribuer aux pauvres. (8) Que si elle ne peut le faire, la bonne volonté lui suffit. (9) Et que l'abbesse et ses sœurs prennent garde de se préoccuper de ses biens temporels, pour qu'elle fasse librement de ses biens ce que le Seigneur lui inspirera. (10) Si cependant elle demandait conseil, qu'elles l'envoient à quelques hommes discrets [6] et craignant Dieu, sur le conseil de qui elle distribuera ses biens aux pauvres. (11) Après cela, les cheveux (de la candidate) coupés en rond et son habit séculier déposé, que l'abbesse lui concède trois tuniques et un manteau. (12) Désormais, qu'il ne lui soit plus permis de sortir hors du monastère sans cause utile, raisonnable, manifeste et approuvable [7]. (13) A la fin de l'année de probation, qu'elle

6. Cf. *3 LAg* 31.

7. Contraste avec les prescriptions de la *Reg.Hug.* 4 : « Omni namque tempore vitae suae clausae manere debent ; et postquam claustrum huius religionis intraverint aliquae, ... nulla eis conceditur licentia vel facultas inde ulterius exeundi, nisi forte causa plantandi vel aedificandi eamdem religionem ad aliquem locum aliquae transmittantur. » — « Elles doivent demeurer enfermées tout le temps de leur

CLAIRE D'ASSISE

128 CLAIRE D'ASSISE

TIONIS, RECIPIATUR AD OBEDIENTIAM PROMITTENS
VITAM et formam paupertatis nostrae in perpetuum
OBSERVARE. (14) Nulla infra tempus probationis ve-
letur. (15) Mantellulas etiam possint sorores habere pro
alleviatione et honestate servitii et laboris.
(16) Abbatissa vero de vestimentis discrete eisdem provideat SECUNDUM qualitates personarum et LOCA ET
TEMPORA ET FRIGIDAS REGIONES, SICUT NECESSITATI
VIDERIT EXPEDIRE. (17) Iuvenculae in monasterio re-
ceptae infra tempus aetatis legitimae tondeantur in
rotundum et deposito habitu saeculari induantur panno
religioso, sicut visum fuerit abbatissae. (18) Cum vero
ad aetatem legitimam venerint, indutae iuxta formam
aliarum faciant professionem suam. (19) Et tam ipsis
quam aliis novitiis abbatissa sollicite MAGISTRAM provideat de discretioribus totius monasterii, (20) QUAE in
sancta conversatione et honestis moribus iuxta formam
professionis nostrae eas diligenter INFORMET. (21) In
examinatione et receptione sororum servientium extra
monasterium servetur forma praedicta; (22) quae POS-
SINT PORTARE CALCIAMENTA. (23) Nulla nobiscum resi-
dentiam faciat in monasterio, nisi recepta fuerit secundum formam professionis nostrae. (24) Et amore
sanctissimi et dilectissimi pueri pauperculis *panniculis*

16. 2 Reg 4, 2 | 19-20. cf. Index III (Reg.Inn.) | 22.24. 2 Reg 2,
15-16 | 24. cf. Lc 2, 7.12

vie ; et après être entrées dans un cloître de cette religion,... elles ne
pourront plus obtenir permission ni faculté d'encore sortir, sauf celles
qui seraient envoyées ailleurs pour fonder ou établir cette même
religion. »

soit reçue à l'obéissance, promettant d'observer perpétuellement la vie et la forme de notre pauvreté. (14)
Que nulle ne soit voilée durant le temps de probation.
(15) Que les sœurs puissent aussi avoir de petits
manteaux pour l'allègement et l'honnêteté [8] du service et
du travail. (16) Que l'abbesse les pourvoie avec
discernement [9] de vêtements, selon la diversité [10] des
personnes, les lieux, les temps et les régions froides,
comme il lui paraîtra expédient pour la nécessité. (17)
Que les toutes jeunes filles reçues dans le monastère
avant le temps de l'âge légitime aient les cheveux
coupés en rond ; et ayant déposé l'habit séculier,
qu'elles soient revêtues d'un drap religieux, comme il
semblera bon à l'abbesse. (18) Mais lorsqu'elles seront
parvenues à l'âge légitime, vêtues selon la forme des
autres, qu'elles fassent leur profession. (19) Et tant à
celles-là qu'aux autres novices, que l'abbesse donne avec
sollicitude une maîtresse prise parmi les plus discrètes [11]
de tout le monastère, (20) qui les formera soigneusement à une sainte conduite et à des mœurs honnêtes [12]
selon la forme de notre profession [13]. (21) Que dans
l'examen et la réception des sœurs qui servent hors du
monastère soit observée la forme susdite. (22) Que
celles-ci puissent porter des chaussures. (23) Que nulle
ne fasse sa résidence avec nous dans le monastère si elle
n'a pas été reçue selon la forme de notre profession.
(24) Et par amour de l'enfant très saint et très aimé,
enveloppé de pauvres petits langes, couché dans une

---

8. Cf. *1 LAg* 3.
9. Litt. « discrétion » : cf. *3 LAg* 31.
10. Litt. « qualités ».
11. Cf. *3 LAg* 31.
12. Cf. *1 LAg* 3.
13. *Reg.Inn.* 1 : « Quibus deputetur magistra, quae eas informet
regularibus disciplinis. » — « Une maîtresse leur sera assignée, qui les
formera aux disciplines régulières. »

involuti, in praesepio reclinati, et sanctissimae matris eius MONEO, deprecor ET EXHORTOR sorores meas, ut VESTIMENTIS semper VILIBUS INDUANTUR.

[CAPUT III]

[DE DIVINO OFFICIO ET IEIUNIO, DE CONFESSIONE ET COMMUNIONE]

(1) Sorores litteratae FACIANT DIVINUM OFFICIUM *SECUNDUM CONSUETUDINEM FRATRUM MINORUM*, (2) EX QUO HABERE POTERUNT BREVIARIA, legendo sine cantu. (3) Et quae occasione rationabili non possent aliquando legendo dicere horas suas, liceat eis sicut aliae sorores dicere *Pater noster*. (4) Quae vero litteras nesciunt DICANT VIGINTI QUATTUOR *Pater noster* PRO MATUTINO, PRO LAUDE QUINQUE, PRO PRIMA vero, TERTIA, SEXTA, NONA, PRO QUALIBET ISTARUM horarum SEPTEM, PRO VESPERIS AUTEM DUODECIM, PRO COMPLETORIO SEPTEM. (5) Pro defunctis etiam dicant in vesperis septem *Pater noster* cum *Requiem aeternam*, pro matutino duodecim, (6) cum sorores litteratae teneantur facere officium mortuorum. (7) Quando vero soror monasterii nostri migraverit, dicant quinquaginta *Pater noster*. (8) *OMNI TEMPORE SORORES IEIUNENT*. (9) In

---

Cap. 3 1-2.4. 2 Reg 3, 1-3 | 1. cf. Index III (Reg.Inn.) | 3. Mt 6, 9-13 | 5. cf. 4 Esd 2, 34-35; cf. Index II (Rituel, Défunts) | 8.10. cf. Index III (Reg.Hug)

---

14. C'est-à-dire de bas prix et communs.
15. Pour le sens de ce mot, voir L. HARDICK, « Gedanken zu Sinn und Tragweite des Begriffes "Clerici" », dans *Archivum Franciscanum Historicum* 50 (1957), p. 7-26 ; H. GRUNDMANN, « *Litteratus-illitteratus*. Der Wandel einer Bildungsnorm vom Altertum zum Mittelalter », dans *Archiv für Kulturgeschichte* 40 (1958), p. 1-65.

crèche, et de sa très sainte mère, j'avertis, je supplie et j'exhorte mes sœurs qu'elles se vêtent toujours de vêtements vils [14].

[3]

[DE L'OFFICE DIVIN ET DU JEÛNE, DE LA CONFESSION ET DE LA COMMUNION]

(1) Que les sœurs lettrées [15] fassent l'office divin [16] selon la coutume des Frères Mineurs [17], (2) c'est pourquoi elles pourront avoir des bréviaires, à lire sans chant. (3) Et à celles qui, pour une cause raisonnable, ne pourraient quelquefois pas dire leurs heures en les lisant, qu'il soit permis comme aux autres sœurs de dire le *Pater noster*. (4) Que celles qui ne savent pas les lettres disent vingt-quatre *Pater noster* pour matines, cinq pour laudes; pour prime, tierce, sexte et none, sept pour chacune de ces heures; pour vêpres, douze; pour complies, sept. (5) Qu'elles disent aussi pour les défunts, à vêpres, sept *Pater noster* avec *Requiem aeternam;* pour matines, douze, (6) alors que les sœurs lettrées seront tenues de faire l'Office des Morts. (7) Quand une sœur de notre monastère sera décédée [18], qu'elles disent cinquante *Pater noster*. (8) Que les sœurs jeûnent en tout temps [19]. (9) Mais à la Nativité du

---

16. Cf. *2 Reg* 3, 1.
17. *Reg.Inn.* 2 : «... secundum consuetudinem Ordinis Fratris Minorum ... officium debeant celebrare.» — «... elles devront célébrer l'office... selon la coutume de l'Ordre des Frères Mineurs.»
18. Litt. «aura émigré».
19. C'est-à-dire en tout temps de l'année,, ce qui ne veut pas dire tout le temps. Comparer à *Reg.Hug.* 7 : «... omni tempore ieiunent quotidie.» — «... qu'elles jeûnent en tout temps tous les jours». Sur la pratique du jeûne à Saint-Damien, cf. *3 LAg* 29-41.

Nativitate vero Domini, quocumque die venerit, bis refici possint. (10) Cum *ADOLESCENTULIS*, debilibus et servientibus extra monasterium, sicut videbitur abbatissae, *MISERICORDITER DISPENSETUR*. (11) TEMPORE VERO MANIFESTAE NECESSITATIS NON TENEANTUR sorores IEIUNIO CORPORALI. (12) Duodecim vicibus ad minus de abbatissae licentia confiteantur in anno. (13) Et cavere debent ne alia verba tunc inserant, nisi quae ad confessionem et salutem pertinent animarum. (14) Septem vicibus communicent, videlicet in Nativitate Domini, in quinta feria maioris hebdomadae, in Resurrectione Domini, in Pentecoste, in Assumptione beatae Virginis, in festo sancti Francisci et in festo omnium sanctorum. (15) Pro communicandis sanis sororibus vel infirmis capellano intus liceat celebrare.

[CAPUT IV]
[DE ELECTIONE ET OFFICIO ABBATISSAE,
DE CAPITULO ATQUE DE OFFICIALIBUS ET DE DISCRETIS]

(1) In electione abbatissae teneantur sorores formam canonicam observare. (2) Procurent autem ipsae festinanter habere generalem ministrum vel provincialem Ordinis Fratrum Minorum, (3) qui verbo Dei eas

11. 2 Reg 3, 9

Seigneur, quelque jour qu'elle advienne, qu'elles puissent se restaurer deux fois. (10) Que les jeunes, les faibles et celles qui servent hors du monastère soient miséricordieusement dispensées, comme il semblera bon à l'abbesse [20]. (11) En temps de nécessité manifeste, que les sœurs ne soient pas tenues au jeûne corporel. (12) Qu'elles se confessent au moins douze fois dans l'année avec la permission de l'abbesse. (13) Et elles doivent prendre garde d'insérer alors d'autres paroles que celles qui concernent la confession et le salut des âmes. (14) Qu'elles communient sept fois, c'est-à-dire à la Nativité du Seigneur, le jeudi de la Grande Semaine, à la Résurrection du Seigneur, à la Pentecôte, à l'Assomption de la bienheureuse Vierge, à la fête de saint François et à la fête de la Toussaint. (15) Pour communier les sœurs bien portantes ou malades, qu'il soit permis au chapelain de célébrer à l'intérieur.

[4]

[DE L'ÉLECTION ET DE L'OFFICE DE L'ABBESSE,
DU CHAPITRE, ET DES OFFICIÈRES ET DES DISCRÈTES]

(1) Dans l'élection de l'abbesse, que les sœurs soient tenues d'observer la forme canonique. (2) Qu'elles mettent un soin empressé à avoir le ministre général ou provincial de l'Ordre des Frères Mineurs, (3) qui par la

---

20. *Reg.Hug.* 7: « Hanc autem ieiunii et abstinentiae legem adolescentulae vel anus et omnino corpore imbecilles ac debiles omnino corpore observare minime permittantur, sed secundum earum imbecillitatem tam in cibariis quam ieiuniis cum eis misericorditer dispensetur. » — « Cette loi du jeûne et de l'abstinence, on ne permettra de l'observer ni aux jeunes ni aux âgées ni aux faibles ni aux impotentes, mais qu'on les traite miséricordieusement tant pour les aliments que pour les jeûnes, selon leur faiblesse. »

---

informet ad omnimodam concordiam et COMMUNEM UTILITATEM in electione facienda. (4) Et nulla eligatur nisi professa. (5) Et si non professa eligeretur vel aliter daretur, non ei obediatur, nisi primo profiteatur formam paupertatis nostrae. (6) QUA DECEDENTE, ELECTIO alterius abbatissae FIAT. (7) ET SI ALIQUO TEMPORE APPARERET UNIVERSITATI sororum PRAEDICTAM NON ESSE SUFFICIENTEM AD SERVITIUM ET COMMUNEM UTILITATEM ipsarum, TENEANTUR PRAEDICTAE sorores iuxta formam praedictam, quam citius possunt, ALIAM SIBI IN abbatissam et matrem ELIGERE. (8) Electa vero *COGITET QUALE ONUS* in se *SUSCEPIT ET CUI* redditura est rationem de grege sibi commisso. (9) *STUDEAT* etiam *MAGIS ALIIS PRAEESSE VIRTUTIBUS ET SANCTIS MORIBUS QUAM OFFICIO*, ut *EIUS EXEMPLO PROVOCATAE SORORES POTIUS EX AMORE* ei *OBEDIANT* quam timore. (10) *PRIVATIS AMORIBUS CAREAT, NE DUM IN PARTE PLUS DILIGIT, IN TOTUM SCANDALUM GENERET.* (11) *CONSOLETUR AFFLICTAS.* (12) *SIT* etiam *ULTIMUM refugium tribulatis, NE SI APUD EAM REMEDIA DEFUERINT SANITATUM, DESPERATIONIS MORBUS PRAEVALEAT IN INFIRMIS.* (13) Communitatem servet in omnibus, prae-

---

Cap. 4 3. 2 Reg 8, 4 | 6-7. 2 Reg 8, 2.4 | 8-9. cf. Index III (Reg.Ben.) | 8. cf. Mt 12, 36; cf. He 13, 17 | 9. TestCl 61-62 | 10-12. cf. Index IV (Celano, Vita IIa, 185) | 12. cf. Ps 31, 7

---

21. *Reg.Ben.* 64, 7-8 : « Ordinatus autem abba cogitet semper quale onus suscepit et cui redditurus est rationem villicationis suae, sciatque sibi oportere prodesse magis quam praeesse. » — « Une fois ordonné, que l'abbé considère toujours quel est le fardeau qu'il a pris sur lui et à qui il aura à rendre compte de sa gestion, et qu'il sache qu'il lui faut servir plutôt qu'être à la tête. »

22. *Reg.Ben.* 64, 15 : « Et studeat plus amari quam timeri. » — « Et qu'il s'applique à être aimé plus que craint. »

parole de Dieu les formera à l'entière concorde et à l'utilité commune dans l'élection à faire. (4) Et que nulle ne soit élue, sinon une professe. (5) Et si une non-professe était élue ou donnée autrement, qu'on ne lui obéisse pas, si elle n'a pas d'abord professé la forme de notre pauvreté. (6) A son décès, que soit faite l'élection d'une autre abbesse. (7) Et si à quelque moment il apparaissait à l'ensemble des sœurs que l'abbesse n'est pas apte à leur service et à leur utilité commune, que lesdites sœurs soient tenues, selon la forme susdite, d'en élire une autre pour abbesse et mère, le plus vite qu'elles le peuvent. (8) Que l'élue considère quel est le fardeau qu'elle a pris sur elle, et à qui elle aura à rendre compte du troupeau qui lui a été confié. (9) Qu'elle s'applique aussi à être devant les autres par ses vertus et ses saintes mœurs plus que par son office[21], pour que les sœurs, provoquées par son exemple, lui obéissent plutôt par amour que par crainte[22]. (10) Qu'elle soit sans amours particuliers, de peur qu'en chérissant plus une partie elle n'engendre du scandale pour le tout. (11) Qu'elle console les affligées. (12) Qu'elle soit aussi l'ultime refuge pour celles qui sont dans la tribulation, de peur que, si auprès d'elle manquent les remèdes pour les santés, la maladie du désespoir l'emporte chez les malades[23]. (13) Qu'elle sauvegarde en tout la vie commune, en particulier à

23. Cf. Thomas de Celano, *Vita secunda s. Francisci,* 185 (*Analecta Franciscana* X), parlant du ministre général des Frères Mineurs : « Homo qui privatis amoribus careat, ne dum in parte plus diligit, in toto scandalum generet. ... Homo qui consoletur afflictos cum sit ultimum refugium tribulatis, ne si apud eum remedia defuerint sanitatum, desperationis morbus praevaleat in infirmis. » — « Un homme qui soit sans amours particuliers, de peur qu'en chérissant plus une partie, il n'engendre du scandale pour le tout... Un homme qui console les affligés, tandis qu'il est l'ultime refuge pour ceux qui sont dans la tribulation, de peur que si, auprès de lui, manquent les remèdes pour les santés, la maladie du désespoir l'emporte chez les malades. »

cipue autem in ecclesia, dormitorio, refectorio, infirmaria et vestimentis. (14) Quod etiam simili modo
servare eius vicaria teneatur. (15) Semel in hebdomada
ad minus abbatissa sorores suas teneatur AD CAPITULUM
CONVOCARE; (16) ubi tam ipsa quam sorores de com-
munibus et publicis offensis et negligentiis humiliter
debeant confiteri. (17) Et quae tractanda sunt pro
utilitate et honestate monasterii, ibidem conferat cum
omnibus sororibus suis; (18) *SAEPE* enim *DOMINUS
QUOD MELIUS EST* minori *REVELAT.* (19) Nullum de-
bitum grave fiat, nisi de communi consensu sororum et
manifesta necessitate, et hoc per procuratorem. (20)
Caveat autem abbatissa cum sororibus suis, ne aliquod
depositum recipiant in monasterio; (21) saepe enim de
huiusmodi turbationes et scandala oriuntur. (22) Ad
conservandam unitatem mutuae dilectionis et pacis, de
communi consensu omnium sororum omnes officiales
monasterii eligantur. (23) Et eodem modo octo ad
minus sorores de discretioribus eligantur, quarum in his
quae forma vitae nostrae requirit, abbatissa uti consilio
semper teneatur. (24) Possint etiam sorores et debeant,
si eis utile et expediens videatur, officiales et discretas
aliquando removere et alias loco ipsarum eligere.

15. 2 Reg 8, 5 | 18. cf. Index III (Reg.Ben.)

l'église, au dortoir, au réfectoire, à l'infirmerie et dans les vêtements. (14) Ce qu'aussi sa vicaire[24] soit tenue de sauvegarder de semblable manière. (15) Une fois dans la semaine au moins, que l'abbesse soit tenue de convoquer ses sœurs au chapitre; (16) là, tant elle que les sœurs devront confesser humblement les offenses et les négligences communes et publiques. (17) Et ce qui doit être traité pour l'utilité et l'honnêteté[25] du monastère, qu'elle en confère là même avec toutes ses sœurs; (18) souvent en effet le Seigneur révèle ce qui est meilleur à la plus petite[26]. (19) Que nulle dette importante ne soit faite, sinon du commun consentement des sœurs et pour une nécessité manifeste, et cela par procureur. (20) Que l'abbesse avec ses sœurs prenne garde de recevoir aucun dépôt au monastère; (21) souvent en effet troubles et scandales naissent à ce propos. (22) Pour conserver l'unité de l'amour mutuel et de la paix, que toutes les officières du monastère soient élues du commun consentement de toutes les sœurs. (23) Et de la même manière, que soient élues au moins huit sœurs parmi les plus discrètes[27], dont l'abbesse sera toujours tenue de prendre conseil en ce que requiert la forme de notre vie. (24) Que les sœurs puissent aussi et doivent, si cela leur paraît utile et expédient, démettre quelquefois les officières et les discrètes[28] et en élire d'autres à leur place.

---

24. Fonction propre à la famille franciscaine. Selon la tradition bénédictine, on s'attendrait à trouver la mention d'une prieure. Claire dut prendre le titre d'abbesse, lorsqu'en 1215 elle se rangea sous la Règle de saint Benoît, mais elle rejoint ici la tradition des Frères Mineurs, chez qui le ministre a un vicaire, un lieutenant.

25. Cf. *1 LAg* 3.

26. Litt. «mineure». — *Reg.Ben.* 3, 3: «... quia saepe iuniori Dominus revelat quod melius est.» — «... parce que souvent le Seigneur révèle ce qui est meilleur au plus jeune.»

27. Cf. *3 LAg* 31.

28. Fonction qui semble être une création de Claire.

[CAPUT V]
[DE SILENTIO AC DE LOCUTORIO ET CRATE]

(1) Ab hora completorii usque ad tertiam sorores silentium teneant, exceptis servientibus extra monasterium. (2) Sileant etiam continue in ecclesia, dormitorio, in refectorio tantum dum comedunt; (3) praeterquam in infirmaria, in qua pro recreatione et servitio infirmarum loqui discrete semper sororibus liceat. (4) Possint tamen semper et ubique breviter submissa voce quod necesse fuerit insinuare. (5) Non liceat sororibus loqui ad locutorium vel ad cratem sine licentia abbatissae vel eius vicariae. (6) Et licentiatae ad locutorium loqui non audeant, nisi praesentibus et audientibus duabus sororibus. (7) Ad cratem vero accedere non praesumant, nisi praesentibus tribus ad minus per abbatissam vel eius vicariam assignatis de illis octo discretis, quae sunt electae ab omnibus sororibus pro consilio abbatissae. (8) *HANC* formam *LOQUENDI* teneantur *PRO SE ABBATISSA* et eius vicaria observare. (9) Et hoc de *CRATE RARISSIME*, ad portam vero nullatenus

[5]

[DU SILENCE, ET DU PARLOIR ET DE LA GRILLE]

(1) Depuis l'heure de complies jusqu'à tierce, que les sœurs gardent le silence, excepté celles qui servent hors du monastère. (2) Qu'elles se taisent aussi continuellement à l'église, au dortoir, au réfectoire seulement pendant qu'elles y mangent; (3) mais pas à l'infirmerie, où pour la récréation et le service des malades il sera toujours permis aux sœurs de parler avec discernement [29]. (4) Qu'elles puissent cependant toujours et partout faire savoir brièvement et à voix basse ce qui serait nécessaire [30]. (5) Qu'il ne soit pas permis aux sœurs de parler au parloir ou à la grille sans la permission de l'abbesse ou de sa vicaire. (6) Et que celles qui ont la permission n'osent pas parler au parloir sinon en présence de deux sœurs qui les entendent. (7) Quant à la grille, qu'elles n'aient pas la présomption d'y accéder sinon en présence d'au moins trois sœurs désignées par l'abbesse ou sa vicaire parmi les huit discrètes [31] qui ont été élues par toutes les sœurs pour le conseil de l'abbesse. (8) Que l'abbesse et sa vicaire soient tenues d'observer pour elles-mêmes cette façon [32] de parler [33]. (9) Et qu'on fasse ceci à la grille très

29. Cf. *3 LAg* 31.
30. Pour Claire, nécessité fait loi: en tout temps et en tout lieu on usera de la parole quand ce sera nécessaire. Comparer à *Reg.Hug.* 6: « Silentium vero continuum sic continue ab omnibus teneatur, ut nec sibi invicem nec alicui alii sine licentia eis loqui liceat. » — « Qu'un silence continu soit continuellement tenu par toutes, de sorte qu'il ne leur soit permis de parler entre elles ou à quelqu'un d'autre sans permission. »
31. Cf. *supra*, p. 137, n. 28.
32. Litt. « forme ».
33. *Reg.Hug.* 6: « Hanc autem loquendi legem et ipsa abbatissa diligenter custodiat. » — « Que l'abbesse elle-même garde soigneusement cette loi de la parole. »

fiat. (10) Ad quam CRATEM PANNUS INTERIUS APPO-
NATUR, qui non removeatur, nisi cum proponitur
verbum Dei vel aliqua alicui loqueretur. (11) HABEAT
etiam OSTIUM ligneum duabus diversis SERIS FERREIS,
valvis et vectibus optime communitum, (12) ut in nocte
maxime duabus clavibus obseretur, quarum unam habeat
abbatissa, aliam vero sacrista; (13) ET MANEAT SEMPER
obseratum, NISI cum auditur divinum officium et PRO
CAUSIS SUPERIUS MEMORATIS. (14) Nulla ante solis
ortum vel post solis occasum loqui ad cratem alicui
ullatenus debeat. (15) AD LOCUTORIUM vero semper
PANNUS, qui non removeatur, INTERIUS maneat. (16) In
quadragesima sancti Martini et quadragesima maiori
nulla loquatur ad locutorium, (17) nisi sacerdoti causa
confessionis vel alterius manifestae necessitatis, quod
reservetur in prudentia abbatissae vel eius vicariae.

15. cf. Index III (Reg.Inn.)

34. *Reg.Hug.* 11: « Per cratem autem ferream, per quam commu-
nionem accipiunt vel officium audiunt, nemo loquatur, nisi forte
aliquando causa rationabili vel necessaria exigente alicui fuerit conce-
dendum; quod tamen rarissime fiat.» — « Que personne ne parle à
travers la grille de fer par laquelle on reçoit la communion ou on
entend l'office, si cela ne devait être concédé à quelqu'un pour une
cause raisonnable ou nécessaire; ce qu'on fera cependant très
rarement.»
35. *Reg.Hug.* 11: « Quibus cratibus ferreis pannus apponatur
interius, ita ut nulla inde valeat exterius in capella aliquid intueri.» —
« Qu'à ces grilles de fer on appose un drap à l'intérieur, de sorte
qu'aucune ne puisse rien regarder à l'extérieur dans la chapelle.»
36. *Reg.Hug.* 11: « Habeant et ostia lignea cum seris et ferris et
clave, ut maneant semper clausa et non aperiantur, nisi pro causis
superius memoratis, et ad audiendum aliquando verbum Dei propo-
nendum.» — « Qu'elles aient aussi des portes de bois avec des

rarement, mais au portail en aucune façon [34]. (10) Qu'à cette grille on appose à l'intérieur un drap qui ne sera enlevé que lorsque la parole de Dieu est annoncée ou que quelqu'une parlera à quelqu'un [35]. (11) Qu'elle ait aussi une porte de bois bien munie de deux serrures différentes en fer, de battants et de barres, (12) afin qu'elle soit fermée, la nuit surtout, avec deux clés dont l'abbesse aura l'une, la sacristine l'autre ; (13) et qu'elle demeure toujours fermée, sauf quand on entend l'office divin et pour les causes rappelées plus haut [36]. (14) Avant le lever du soleil ou après le coucher du soleil, nulle ne devra en aucune façon parler à quelqu'un à la grille. (15) Au parloir, que demeure toujours à l'intérieur un drap qu'on n'enlèvera pas [37]. (16) Pendant le carême de la Saint-Martin et pendant le grand carême, que nulle ne parle au parloir, (17) sinon au prêtre pour cause de confession ou d'autre nécessité manifeste, ce qui sera réservé à la prudence de l'abbesse ou de sa vicaire [38].

serrures et des fers et une clé, afin qu'elles demeurent toujours fermées et ne soient pas ouvertes, sinon pour les causes rappelées plus haut et pour faire entendre la parole de Dieu. »

37. *Reg.Inn.* 9 : « Cui pannus niger lineus interius taliter apponatur, quod nec ipsae videre extra valeant nec videri. » — « Qu'on y appose à l'intérieur un drap de lin noir, de sorte qu'elles ne puissent voir à l'extérieur ni être vues. »

38. Claire interrompt ici les prescriptions concernant ce qu'on pourrait appeler la structure de retrait de la communauté : usage du silence et de la parole, communication avec l'extérieur. Il sera à nouveau question de cette structure de retrait plus loin, aux chapitres 11 et 12. Mais la présentation de la structure de retrait est donc coupée en deux parties, entre lesquelles Claire insère, au milieu même du texte de la Règle, le cœur de sa forme de vie, contenu dans les chapitres 6 à 10. Le chapitre 6 est intégralement l'œuvre de Claire, qui y rappelle ses commencements, son propos fondamental de vivre selon la perfection du saint Évangile et la place importante de François pour elle et pour ses sœurs. On retrouve là la même chose qu'en *TestCl* 24-55. Dans les chapitres 7 à 10, Claire développera ensuite les deux éléments fondamentaux de la vie évangélique franciscaine : la pauvreté et l'amour mutuel à l'image du Christ.

[Caput VI]

[De non habendis possessionibus]

(1) *POSTQUAM ALTISSIMUS PATER CAELESTIS PER GRA-
TIAM SUAM COR MEUM DIGNATUS EST ILLUSTRARE, UT
EXEMPLO ET DOCTRINA BEATISSIMI PATRIS NOSTRI* sancti
*FRANCISCI POENITENTIAM FACEREM, PAULO POST
CONVERSIONEM IPSIUS, UNA CUM SORORIBUS MEIS OBE-
DIENTIAM VOLUNTARIE SIBI PROMISI.* (2) *ATTENDENS
AUTEM BEATUS* pater *QUOD NULLAM PAUPERTATEM,
LABOREM, TRIBULATIONEM, VILITATEM ET CONTEMPTUM
SAECULI* timeremus, *IMMO PRO MAGNIS DELICIIS* habe-
remus, *PIETATE MOTUS SCRIPSIT NOBIS FORMAM VIVENDI*
in hunc modum :

(3) QUIA DIVINA INSPIRATIONE FECISTIS VOS FILIAS ET
ANCILLAS ALTISSIMI SUMMI REGIS PATRIS CAELESTIS ET
SPIRITUI SANCTO VOS DESPONSASTIS ELIGENDO VIVERE
SECUNDUM PERFECTIONEM SANCTI EVANGELII, (4) VOLO
ET PROMITTO PER ME ET FRATRES MEOS SEMPER
HABERE DE VOBIS TAMQUAM DE IPSIS CURAM DILI-
GENTEM ET SOLLICITUDINEM SPECIALEM.

(5) Quod *DUM VIXIT DILIGENTER* implevit et a Fratribus voluit semper implendum. (6) Et ut nusquam
declinaremus a sanctissima paupertate quam cepimus

Cap. 6 1-2. TestCl 24-25.27-29 | 3-4. FVie 1-2 | 5. cf. Index IV
(Celano, Vita IIa, 204)

---

39. On pourrait traduire également par *piété*: cf. *TestCl* 29.
40. Pour la signification de ce concept, voir D. LAPSANSKI,
*Perfectio evangelica. Eine begriffsgeschichtliche Untersuchung im früh-
franziskanische Schrifttum*, Munich 1974.
41. François est donc à l'origine de la forme de vie des Sœurs
Pauvres aussi bien que de celle des Frères Mineurs. Claire considère

[6]

[DES POSSESSIONS A NE PAS AVOIR]

(1) Après que le très haut Père céleste eut daigné par sa grâce éclairer mon cœur pour qu'à l'exemple et selon l'enseignement de notre très bienheureux père saint François je fasse pénitence, peu après sa conversion, ensemble avec mes sœurs je lui promis volontairement obéissance. (2) Le bienheureux père, considérant que nous ne craignions aucune pauvreté, aucun labeur, aucune tribulation, aucun avilissement, aucun mépris du siècle, bien au contraire, que nous les tenions pour grandes délices, ému de pitié[39], il nous écrivit une forme de vie de cette manière :

(3) Puisque par inspiration divine vous vous êtes faites filles et servantes du très haut et souverain roi, le Père céleste, et que vous avez épousé l'Esprit-Saint en choisissant de vivre selon la perfection du saint évangile[40], (4) je veux et je promets d'avoir toujours, par moi-même et par mes frères, un soin affectueux et une sollicitude spéciale pour vous comme pour eux[41].

(5) Ce qu'il accomplit soigneusement[42] tant qu'il vécut[43] et voulut que soit toujours accompli par les frères. (6) Et pour que jamais nous ne nous écartions de la très sainte pauvreté que nous avons prise, ni de

qu'il n'y a, pour les unes comme pour les autres, qu'une même forme de vie évangélique et qu'un seul Ordre sous l'autorité du ministre général successeur de François. La Règle de Claire commence et finit d'ailleurs par les mêmes mots que celle de François : comparer *RegCl* 1, 1-2 et *2 Reg* 1, 1, ainsi que *RegCl* 12, 13 et *2 Reg* 12, 4.

42. Litt. « diligemment ».

43. Cf. THOMAS DE CELANO, *Vita secunda s. Francisci,* 204 (*Analecta Franciscana* X) : « Haec semper, dum vixit, diligenter exsolvit. » — « Cela toujours, tant qu'il vécut, il s'en acquitta soigneusement. »

nec etiam quae post nos venturae essent, paulo ante obitum suum iterum scripsit nobis ultimam voluntatem suam dicens :

(7) EGO FRATER FRANCISCUS PARVULUS VOLO SEQUI VITAM ET PAUPERTATEM ALTISSIMI DOMINI NOSTRI JESU CHRISTI ET EIUS SANCTISSIMAE MATRIS ET *perseverare* IN EA *usque in finem;* (8) ET ROGO VOS, DOMINAS MEAS, ET CONSILIUM DO VOBIS, UT IN ISTA SANCTISSIMA VITA ET PAUPERTATE SEMPER VIVATIS. (9) ET CUSTODITE VOS MULTUM, NE DOCTRINA VEL CONSILIO ALICUIUS AB IPSA IN PERPETUUM ULLATENUS RECEDATIS.

(10) *ET SICUT EGO SEMPER SOLLICITA FUI* una cum sororibus meis *SANCTAM PAUPERTATEM QUAM DOMINO* Deo *ET BEATO FRANCISCO PROMISIMUS* custodire, (11) *SIC TENEANTUR* abbatissae *QUAE IN OFFICIO MIHI SUCCEDENT* et omnes sorores *USQUE IN FINEM* inviolabiliter *OBSERVARE*, (12) videlicet in non recipiendo vel habendo possessionem vel proprietatem PER SE NEQUE PER INTERPOSITAM PERSONAM, (13) seu etiam aliquid quod rationabiliter proprietas dici possit, (14) *NISI QUANTUM* terrae *PRO HONESTATE ET REMOTIONE MONASTERII NECESSITAS* requirit ; (15) *ET ILLA TERRA NON LABORETUR, NISI PRO HORTO* ad necessitatem ipsarum.

[CAPUT VII]

[DE MODO LABORANDI]

(1) Sorores, QUIBUS DEDIT DOMINUS GRATIAM LABORANDI, post horam tertiae LABORENT ET DE LABORITIO QUOD PERTINET AD HONESTATEM et COMMUNEM UTILI-

7-9. DVol 1-3 | 7. cf. Mt 10, 22 | 10-11. TestCl 40-41 | 12. 2 Reg 4, 1 | 14-15. TestCl 53-55
Cap. 7 1-2. 2 Reg 5, 1-2 | 1. Test 20 ; 2 Reg 8, 4

même celles qui viendraient après nous, peu avant son trépas, il nous écrivit encore son ultime volonté, disant :

(7) Moi, frère François, tout petit, je veux suivre la vie et la pauvreté de notre très haut Seigneur Jésus-Christ et de sa très sainte mère et persévérer en cela jusqu'à la fin ; (8) et je vous prie, mes dames, et je vous donne le conseil de vivre toujours dans cette très sainte vie et pauvreté. (9) Et gardez-vous bien de vous en éloigner jamais en aucune façon, sur l'enseignement ou le conseil de qui que ce soit.

(10) Et comme moi je fus toujours soucieuse avec mes sœurs de garder la sainte pauvreté que nous avons promise au Seigneur Dieu et au bienheureux François, (11) qu'ainsi les abbesses qui me succéderont dans l'office et toutes les sœurs soient tenues de l'observer inviolablement jusqu'à la fin, (12) c'est-à-dire en ne recevant et en n'ayant ni possession ni propriété, ni par elles-mêmes ni par personne interposée, (13) ou même quelque chose qui pourrait raisonnablement être dit propriété, (14) sinon la quantité de terre que la nécessité requiert pour l'honnêteté [44] et le retrait du monastère ; (15) et que cette terre ne soit pas travaillée, sinon comme jardin pour la nécessité des sœurs mêmes.

[7]

[DE LA MANIÈRE DE TRAVAILLER]

(1) Que les sœurs à qui le Seigneur a donné la grâce de travailler travaillent après l'heure de tierce, fidèlement et dévotement, et d'un travail qui relève de

---

44. Cf. *1 LAg* 3.

TATEM, FIDELITER ET DEVOTE, (2) ITA QUOD, EXCLUSO
OTIO ANIMAE INIMICO, SANCTAE ORATIONIS ET DEVO-
TIONIS *spiritum non exstinguant*, CUI DEBENT CETERA
TEMPORALIA DESERVIRE. (3) Et id quod manibus suis
operantur, assignare in capitulo abbatissa vel eius vicaria
coram omnibus teneatur. (4) Idem fiat si aliqua eleemosyna pro sororum necessitatibus ab aliquibus mitteretur,
ut in communi pro eisdem recommendatio fiat. (5) Et
haec omnia pro COMMUNI UTILITATE distribuantur per
abbatissam vel eius vicariam de consilio discretarum.

[CAPUT VIII]

[QUOD NIHIL APPROPRIENT SIBI SORORES,
ET DE ELEEMOSYNA PROCURANDA
ET DE SORORIBUS INFIRMIS]

(1) Sorores NIHIL SIBI APPROPRIENT NEC DOMUM NEC
LOCUM NEC ALIQUAM REM. (2) ET *tamquam peregrinae
et advenae* IN HOC SAECULO, IN PAUPERTATE ET HUMI-
LITATE DOMINO FAMULANTES, mittant PRO ELEEMO-
SYNA CONFIDENTER, (3) NEC OPORTET EAS VERE-
CUNDARI, QUIA DOMINUS PRO NOBIS SE FECIT PAU-
PEREM IN HOC MUNDO. (4) HAEC EST ILLA CELSITUDO
altissimae paupertatis, QUAE VOS, CARISSIMAS sorores
MEAS, HEREDES ET REGINAS REGNI CAELORUM INS-
TITUIT, PAUPERES REBUS FECIT, VIRTUTIBUS SUBLI-
MAVIT. (5) HAEC SIT *portio* VESTRA, QUAE PERDUCIT *in
terram viventium*. (6) CUI, DILECTAE sorores, TOTALITER
INHAERENTES NIHIL ALIUD PRO NOMINE DOMINI NOSTRI

2. cf. 1 Th 5, 19 | 5. 2 Reg 8, 4
Cap. 8 1-6. 2 Reg 6, 1-6 | 2. cf. Ps 38, 13; cf. 1 P 2, 11 | 3. cf. 2
Co 8, 9 | 4. cf. 2 Co 8, 2; cf. Mt 5, 3; cf. Lc 6, 20; cf. Jc 2,5 | 5. cf.
Ps 141, 6

l'honnêteté[45] et de l'utilité commune, (2) de telle sorte qu'ayant écarté l'oisiveté ennemie de l'âme, elles n'éteignent pas l'esprit de sainte oraison et de dévotion que les autres choses temporelles doivent servir. (3) Et ce qu'elles font[46] de leurs mains, que l'abbesse ou sa vicaire soit tenue de l'assigner en chapitre devant toutes. (4) Qu'on fasse de même si une aumône était envoyée pour les nécessités des sœurs par quelques personnes, pour qu'une recommandation soit faite pour elles en communauté. (5) Et que toutes ces choses soient distribuées, pour l'utilité commune, par l'abbesse ou sa vicaire, sur le conseil des discrètes[47].

[8]

[QUE LES SŒURS NE S'APPROPRIENT RIEN ; DE L'AUMÔNE À PROCURER ET DES SŒURS MALADES]

(1) Que les sœurs ne s'approprient rien, ni maison, ni lieu, ni quoi que ce soit. (2) Et comme des pèlerines et des étrangères en ce siècle, servant le Seigneur dans la pauvreté et l'humilité, qu'elles envoient à l'aumône avec confiance ; (3) et il ne faut pas qu'elles en aient honte, car le Seigneur s'est fait pauvre pour nous en ce monde. (4) Telle est la hauteur de la très haute pauvreté qui vous a instituées, vous mes sœurs très chères, héritières et reines du royaume des cieux, qui vous a faites pauvres en biens, qui vous a élevées en vertus. (5) Qu'elle soit votre part, elle qui conduit dans la terre des vivants. (6) Totalement attachées à elle, sœurs bien-aimées, pour le nom de notre Seigneur Jésus-Christ et

45. Cf. *1 LAg* 3.
46. Litt. « œuvrent ».
47. Cf. *supra*, p. 137, n. 28.

JESU CHRISTI et eius sanctissimae matris IN PERPETUUM SUB CAELO HABERE VELITIS. (7) Non *LICEAT* alicui sorori *LITTERAS* mittere vel *ALIQUID RECIPERE AUT* extra monasterium *DARE SINE LICENTIA ABBATISSAE.* (8) *NEC QUICQUAM LICEAT HABERE QUOD ABBATISSA NON DEDERIT AUT PERMISERIT.* (9) *QUOD SI A PARENTIBUS SUIS* vel ab aliis *EI ALIQUID* mitteretur, abbatissa *FACIAT ILLI DARI.* (10) Ipsa autem si indiget uti possit; sin autem sorori indigenti caritative communicet. (11) Si vero ei aliqua pecunia transmissa fuerit, abbatissa de consilio discretarum in his quae indiget illi faciat provideri. (12) *DE INFIRMIS* sororibus, *TAM* in consiliis quam *IN CIBARIIS ET ALIIS NECESSARIIS QUAE EARUM REQUIRIT INFIRMITAS,* teneatur firmiter abbatissa sollicite per se et alias sorores inquirere (13) et iuxta possibilitatem loci caritative et misericorditer providere. (14)

---

7. cf. Index III (Reg.Ben.) | 8-9. cf. Index III (Reg.Ben.) | 12. cf. Index III (Reg.Hug.)

---

48. *Reg.Ben.* 54, 1: «Nullatenus liceat monacho neque a parentibus suis neque a quoquam hominum nec sibi invicem litteras, eulogias vel quaelibet munuscula accipere aut dare sine praecepto abbatis.» — «Qu'il ne soit en aucune façon permis à un moine de recevoir des lettres, des cadeaux ou quelque petit présent que ce soit, ni de ses parents ni de quiconque ni d'un autre moine, ni d'en donner, sans prescription de l'abbé.»

49. *Reg.Ben.* 33, 5: «... nec quicquam liceat habere quod abbas non dederit aut non permiserit.» — «... et qu'il ne soit pas permis d'avoir quoi que ce soit que l'abbé n'aurait donné ou permis.»

50. *Reg.Ben.* 54, 2-4: «Quod si etiam a parentibus suis ei quicquam directum fuerit, non praesumat suscipere illud, nisi prius indicatum fuerit abbati. Quod si iusserit suscipi, in abbatis sit potestate cui illud iubeat dari, et non contristetur frater cui forte directum fuerat, ut non detur occasio diabolo.» — «Que si tout de

de sa très sainte mère, veuillez ne posséder à jamais rien d'autre sous le ciel. (7) Qu'il ne soit permis à aucune sœur d'envoyer des lettres, ou de recevoir quelque chose ou de donner en dehors du monastère, sans la permission de l'abbesse[48]. (8) Et qu'il ne soit pas permis d'avoir quoi que ce soit que l'abbesse n'aurait donné ou permis[49]. (9) Que si quelque chose était envoyé à une sœur par ses parents ou par d'autres, l'abbesse le lui fasse donner[50]. (10) Que celle-ci, si elle en a besoin, puisse l'utiliser, sinon qu'elle le partage charitablement avec une sœur qui en a besoin[51]. (11) Mais si quelque argent[52] lui était envoyé, que l'abbesse sur le conseil des discrètes[53] la fasse pourvoir de ce dont elle a besoin. (12) Au sujet des sœurs malades, que l'abbesse soit fermement tenue de s'enquérir avec sollicitude, par elle-même et par les autres sœurs, de ce que requiert leur maladie tant pour les conseils que pour les aliments et les autres choses nécessaires, (13) et d'y pourvoir charitablement et miséricordieusement

même quelque chose lui était envoyé par ses parents, il n'ait pas la présomption de le recevoir avant d'en avoir informé l'abbé. Que s'il ordonnait de l'accepter, il soit du pouvoir de l'abbé d'ordonner à qui ce sera donné ; et que le frère à qui cela avait été envoyé ne s'attriste pas, pour ne pas donner occasion au diable. »

51. Pour Claire, les relations fraternelles impliquent la responsabilité de chaque sœur : chacune est libre, mais face à une grande exigence de discernement.

52. Claire a vis-à-vis de l'argent une attitude différente de celle de François. Pour cette question, voir E. GRAU, « Die Geldfrage in der Regel der hl. Klara und in der Regel der Minderbrüder », dans *Chiara d'Assisi. Rassegna del Protomonastero* 1 (1953), p. 115-119, abrégé dans *Franziskanische Studien* 35 (1953), p. 266-269.

53. Cf. *supra*, p. 137, n. 28.

Quia omnes tenentur providere et servire sororibus suis infirmis, SICUT VELLENT SIBI SERVIRI si ab infirmitate aliqua tenerentur. (15) SECURE MANIFESTET UNA ALTERI NECESSITATEM SUAM. (16) Et SI MATER DILIGIT ET NUTRIT filiam SUAM CARNALEM, QUANTO DILIGENTIUS DEBET soror DILIGERE ET NUTRIRE sororem SUAM SPIRI-TUALEM? (17) Quae infirmae *IN SACCIS CUM PALEIS IACEANT ET HABEANT AD CAPUT CAPITALIA CUM PLUMA;* (18) et quae indigent *PEDULIS LANEIS ET CULCITRIS* uti possint. (19) Infirmae vero praedictae, cum ab introeuntibus monasterium visitantur, possint singulae aliqua bona verba sibi loquentibus breviter respondere. (20) Aliae autem sorores licentiatae monas-terium intrantibus loqui non audeant, nisi praesentibus et audientibus duabus discretis sororibus per abbatissam vel eius vicariam assignatis. (21) *HANC* formam *LO-QUENDI* teneantur *PRO SE ABBATISSA* et eius vicaria observare.

---

14. 2 Reg 6, 9; cf. Mt 7, 12 | 15-16. 2 Reg 6, 8; TestCl 65 | 16. cf. 1 Th 2, 7; cf. Ga 4, 19-20; cf. 2 R 1, 26 | 17-18. cf. Index III (Reg.Hug.) | 21. cf. Index III (Reg.Hug.)

---

54. *Reg.Hug.* 8: « De infirmis vero cura et diligentia maxima habeatur; et secundum quod possibile fuerit et decuerit tam in cibariis, quae earum requirit infirmitas, quam in aliis etiam necessariis, in fervore caritatis, benigne ac sollicite eis per omnia serviatur.» — «Au sujet des malades, on aura le plus grand soin et la plus grande attention; et selon ce qui sera possible et ce qui conviendra, on les servira en tout avec bienveillance et sollicitude, dans la ferveur de la charité, tant pour les aliments que requiert leur maladie, que pour les autres choses nécessaires.»

selon la possibilité du lieu[54]. (14) Car toutes sont tenues de pourvoir et de servir leurs sœurs malades comme elles voudraient elles-mêmes être servies si elles étaient atteintes de quelque maladie. (15) Qu'avec assurance chacune manifeste à l'autre sa nécessité. (16) Et si une mère chérit et nourrit sa fille charnelle, avec combien plus d'affection chaque sœur ne doit-elle pas chérir et nourrir sa sœur spirituelle ? (17) Que les malades couchent sur des sacs avec de la paille et qu'elles aient pour la tête des oreillers de plume ; (18) et que celles qui en ont besoin puissent utiliser des chaussons de laine et des matelas[55]. (19) Et lesdites malades, lorsqu'elles sont visitées par ceux qui entrent dans le monastère, que chacune puisse répondre brièvement quelques bonnes paroles à ceux qui leur parlent. (20) Mais que les autres sœurs qui en ont la permission n'osent pas parler à ceux qui entrent dans le monastère, sinon en présence de deux sœurs discrètes[56] qui entendent, désignées par l'abbesse ou sa vicaire. (21) Que l'abbesse et sa vicaire soient tenues d'observer pour elles-mêmes cette façon[57] de parler[58].

---

55. *Reg.Hug.* 8 : « Illae vero, quae non multum gravi infirmitate laborant in saccis cum paleis iaceant et habeant ad caput capitale cum pluma. Quae autem graviter infirmantur, in culcitris iaceant, si congrue potuerint inveniri. Sed et omnes infirmae pedules laneos habeant. » — « Celles qui ne sont pas gravement malades coucheront sur des sacs avec de la paille et auront pour la tête des oreillers de plume. Mais celles qui sont gravement malades coucheront sur des matelas, si on peut convenablement en trouver. Mais toutes les malades auront aussi des chaussons de laine. »
56. Cf. *3 LAg* 31.
57. Litt. « forme ».
58. *Reg.Hug.* 6 : « Hanc autem loquendi legem et ipsa abbatissa diligenter custodiat. » — « Que l'abbesse elle-même garde soigneusement cette loi de la parole. » Cf. *RegCl* 5, 8.

[CAPUT IX]

[DE POENITENTIA SORORIBUS PECCANTIBUS IMPONENDA,
ET DE SORORIBUS SERVIENTIBUS EXTRA MONASTERIUM]

(1) SI QUA soror contra formam professionis nostrae
MORTALITER, INIMICO INSTIGANTE, PECCAVERIT, per abbatissam vel alias sorores bis vel ter admonita, (2) si
non se emendaverit, quot diebus contumax fuerit tot in
terra panem et aquam coram sororibus omnibus in
refectorio comedat; (3) ET GRAVIORI poenae SU-
BIACEAT, si visum fuerit abbatissae. (4) Interim dum
contumax fuerit, oretur ut Dominus ad poenitentiam cor
eius illuminet. (5) Abbatissa vero et eius sorores
CAVERE DEBENT, NE IRASCANTUR VEL CONTURBENTUR
PROPTER PECCATUM ALICUIUS, QUIA IRA ET CONTUR-
BATIO IN SE ET IN ALIIS IMPEDIUNT CARITATEM. (6) Si
contingeret, quod absit, inter sororem et sororem verbo
vel signo occasionem turbationis vel scandali aliquando
suboriri, (7) quae turbationis causam dederit, statim
antequam *offerat munus* orationis suae coram Domino,
non solum humiliter prosternat se ad pedes alterius
veniam petens, (8) verum etiam simpliciter roget, ut pro
se intercedat ad Dominum quod sibi indulgeat. (9) Illa
vero memor illius verbi Domini: Nisi ex *corde dimise-*

Cap. 9 1. 2 Reg 7, 1 | 3. cf. Index III (Reg.Ben.) | 5. 2 Reg 7, 3 |
7. cf. Mt 5, 23 | 9. Mt 6, 15; Mt 18, 35

[9]

[DE LA PÉNITENCE À IMPOSER AUX SŒURS
QUI PÈCHENT,
ET DES SŒURS QUI SERVENT HORS DU MONASTÈRE]

(1) Si une sœur, à l'instigation de l'ennemi, péchait mortellement contre la forme de notre profession, qu'elle soit avertie par l'abbesse ou par les autres sœurs deux ou trois fois ; (2) si elle ne s'amendait pas, autant de jours qu'elle aura été obstinée, autant de jours elle mangera à terre pain et eau devant toutes les sœurs au réfectoire ; (3) et qu'elle soit soumise à une peine plus grave [59], si l'abbesse le juge bon. (4) Aussi longtemps qu'elle sera obstinée, qu'on prie le Seigneur d'illuminer son cœur pour la pénitence. (5) Mais l'abbesse et ses sœurs doivent prendre garde de se mettre en colère ou de se troubler à cause du péché de quiconque, car la colère et le trouble empêchent la charité en elles-mêmes et chez les autres. (6) S'il arrivait — qu'il n'en soit rien — qu'entre une sœur et une sœur, par une parole ou par un geste [60], s'élevât quelquefois une occasion de trouble ou de scandale, (7) que celle qui a donné cause à ce trouble, aussitôt, avant de présenter l'offrande de sa prière devant le Seigneur, non seulement se prosterne humblement aux pieds de l'autre, demandant le pardon [61], (8) mais aussi la prie simplement d'intercéder pour elle auprès du Seigneur afin qu'il soit indulgent pour elle. (9) Et celle-là, se souvenant de cette parole

---

59. *Reg.Ben.* 45, 1 : « ... maiori vindictae subiaceat. » — « ... qu'il soit soumis à un châtiment plus grand. »

60. Litt. « signe ».

61. *Reg.Ben.* 71, 8 : « mox sine mora tamdiu prostratus in terra ante pedes eius iaceat satisfaciens, usque dum benedictione sanetur illa commotio. » — « aussitôt, sans retard, prosterné à terre, il restera devant ses pieds en réparation, jusqu'à ce que par une bénédiction s'apaise cette animosité. »

ritis, nec Pater vester caelestis *dimittet vobis,* (10) liberaliter sorori suae omnem iniuriam sibi illatam remittat. (11) Sorores servientes extra monasterium longam moram non faciant, nisi causa manifestae necessitatis requirat. (12) Et honeste debeant ambulare et parum loqui, ut AEDIFICARI SEMPER VALEANT INTUENTES. (13) Et firmiter caveant NE HABEANT SUSPECTA CONSORTIRA VEL CONSILIA ALIQUORUM. (14) NEC FIANT COMMATRES VIRORUM VEL MULIERUM, NE HAC OCCASIONE murmuratio vel turbatio ORIATUR. (15) Nec praesumant rumores de saeculo referre in monasterio. (16) Et firmiter teneantur de his quae intus dicuntur vel aguntur, extra monasterium aliquid non referre, quod posset aliquod scandalum generare. (17) Quod si aliqua simpliciter in his duobus offenderit, sit in prudentia abbatissae MISERICORDITER POENITENTIAM SIBI INIUNGERE. (18) Si autem ex consuetudine vitiosa haberet, iuxta qualitatem culpae abbatissa de consilio discretarum illi poenitentiam iniungat.

---

12. cf. Index III (Reg.Inn.) | 13-14. 2 Reg 11, 1.3 | 15. cf. Index III (Reg. Ben.) | 17. 2 Reg 7, 2

du Seigneur: Si vous ne remettez pas de tout cœur, votre Père céleste non plus ne vous remettra pas, (10) qu'elle remette avec libéralité à sa sœur toute l'injure qu'elle a reçue. (11) Que les sœurs qui servent ne fassent pas de long séjour hors du monastère, sauf si une cause de nécessité manifeste le requiert. (12) Et elles devront marcher honnêtement [62] et parler peu, pour que ceux qui les regardent puissent toujours être édifiés [63]. (13) Et qu'elles se gardent fermement d'avoir des relations ou de tenir des conseils suspects avec quelqu'un. (14) Et qu'elles ne deviennent marraines ni d'hommes ni de femmes, pour qu'à cette occasion ne surgisse murmure ou trouble. (15) Et qu'elles n'aient pas la présomption de rapporter au monastère les rumeurs du siècle [64]. (16) Et qu'elles soient tenues fermement de ne rien rapporter hors du monastère de ce qui se dit ou se fait à l'intérieur, rien qui pourrait engendrer quelque scandale. (17) Que si quelqu'une par simplicité commettait une faute en ces deux points, il appartienne à la prudence de l'abbesse de lui enjoindre miséricordieusement une pénitence. (18) Mais si cela provenait d'une habitude vicieuse, que l'abbesse, sur le conseil des discrètes [65], lui enjoigne une pénitence selon la qualité de la faute.

---

62. Cf. *1 LAg* 3.

63. *Reg.Inn.* 10: «Et quamdiu extra fuerint, taliter studeant se habere, quod de conversatione honesta ipsarum aedificari valeant intuentes.» — «Et tant qu'elles seront à l'extérieur, qu'elles veillent à se tenir de façon telle que par leur comportement honnête puissent être édifiés ceux qui les regardent.»

64. *Reg.Ben.* 67, 5: «Nec praesumat quisquam referre alio quaecumque foris monasterium viderit aut audierit.» — «Et que nul n'ait la présomption de rapporter à un autre ce qu'il aurait vu ou entendu hors du monastère.»

65. Cf. *3 LAg* 31.

[CAPUT X]

[DE ADMONITIONE ET CORRECTIONE SORORUM]

(1) Abbatissa MONEAT ET VISITET sorores SUAS ET HUMILITER ET CARITATIVE CORRIGAT EAS, NON PRAECIPIENS ALIQUID EIS QUOD SIT CONTRA ANIMAM SUAM et nostrae professionis formam. (2) Sorores VERO SUBDITAE RECORDENTUR QUOD PROPTER DEUM ABNEGAVERUNT PROPRIAS VOLUNTATES. (3) UNDE FIRMITER suis abbatissis obedire teneantur IN OMNIBUS QUAE OBSERVARE DOMINO PROMISERUNT ET NON SUNT ANIMAE CONTRARIA et nostrae professioni. (4) Abbatissa VERO TANTAM FAMILIARITATEM HABEAT CIRCA IPSAS, UT DICERE POSSINT EI ET FACERE SICUT DOMINAE ANCILLAE SUAE. (5) NAM ITA DEBET ESSE, QUOD abbatissa SIT OMNIUM sororum ANCILLA. (6) MONEO VERO ET EXHORTOR IN DOMINO JESU CHRISTO, UT *caveant* sorores *ab omni* SUPERBIA, VANA GLORIA, INVIDIA, *avaritia, cura et sollicitudine huius saeculi,* DETRACTIONE ET MURMURATIONE, dissessione et divisione. (7) Sint vero sollicitae semper invicem servare mutuae dilectionis unitatem, quae *est vinculum perfectionis.* (8) ET NESCIENTES LITTERAS NON CURENT LITTERAS DISCERE; (9) SED ATTENDANT QUOD SUPER OMNIA DESIDERARE DEBENT HABERE SPIRITUM DOMINI ET SANCTAM EIUS OPERATIONEM, (10) ORARE SEMPER AD EUM PURO CORDE ET HABERE HUMILITATEM, PATIENTIAM IN TRIBULATIONE ET INFIRMITATE, (11) ET DILIGERE EOS QUI NOS PERSEQUUNTUR, REPREHENDUNT ET ARGUUNT, (12) QUIA DICIT DOMINUS: *Beati qui persecutionem patiuntur propter iustitiam, quoniam ipsorum est regnum caelorum.* (13) *Qui autem perseveraverit usque in finem hic salvus erit.*

Cap. 10 1-3. 2 Reg 10, 1-3; TestCl 67 | 4-5. 2 Reg 10, 5-6 | 5. cf. Mt 20, 27 | 6.8-13. 2 Reg 10, 7-12 | 6. cf. Lc 12, 15; cf. Mt 13, 22; cf. Lc 21, 34 | 7. Col 3, 14 | 11. cf. Mt 5, 44 | 12. Mt 5, 10 | 13. Mt 10, 22

[10]

[DE L'ADMONITION ET DE LA CORRECTION DES SŒURS]

(1) Que l'abbesse avertisse et visite ses sœurs et qu'elle les corrige humblement et charitablement, ne leur prescrivant rien qui soit contraire à leur âme et à la forme de notre profession. (2) Quant aux sœurs sujettes, qu'elles se rappellent que, pour Dieu, elles ont renoncé à leurs volontés propres. (3) Aussi elles seront tenues fermement d'obéir à leurs abbesses en tout ce qu'elles ont promis au Seigneur d'observer et qui n'est pas contraire à leur âme et à notre profession. (4) Que l'abbesse ait tant de familiarité avec elles que celles-ci puissent lui parler et agir avec elle comme des dames avec leur servante. (5) Car il doit en être ainsi : que l'abbesse soit la servante de toutes les sœurs. (6) J'avertis et j'exhorte dans le Seigneur Jésus-Christ : que les sœurs se gardent de tout orgueil, vaine gloire, envie, avarice, souci et préoccupation de ce siècle, critique et murmure, dissension et division. (7) Mais qu'elles soient toujours soucieuses de conserver entre elles l'unité de l'amour mutuel qui est le lien de la perfection. (8) Et que celles qui ne savent pas les lettres ne se soucient pas d'apprendre les lettres ; (9) mais qu'elles considèrent qu'elles doivent par-dessus tout désirer avoir l'Esprit du Seigneur et sa sainte opération, (10) le prier toujours d'un cœur pur et avoir l'humilité, la patience dans la tribulation et dans la maladie, (11) et aimer ceux qui nous persécutent, nous réprimandent et nous accusent, (12) car, dit le Seigneur : Heureux ceux qui souffrent persécution pour la justice, car le royaume des cieux est à eux. (13) Celui qui persévérera jusqu'à la fin, celui-là sera sauvé [66].

66. Après avoir développé les deux éléments fondamentaux de la vie évangélique franciscaine — la pauvreté et l'amour mutuel —, Claire va reprendre maintenant les prescriptions concernant la structure de retrait, interrompues à la fin du chapitre 5.

[CAPUT XI]

[DE CIAUSURAE CUSTODIA]

(1) Ostiaria *SIT MATURA MORIBUS ET DISCRETA SIT-QUE CONVENIENTIS AETATIS*, quae ibidem in cellula aperta sine ostio in die resideat. (2) *SIT EI* et aliqua *SOCIA IDONEA* assignata, quae cum necesse fuerit, *EIUS VICEM IN OMNIBUS EXSEQUATUR*. (3) *SIT* autem *OSTIUM* diversis duabus *SERIS FERREIS, VALVIS ET VECTIBUS OPTIME COMMUNITUM*, (4) ut in nocte maxime duabus clavibus obseretur, quarum unam habeat portaria, aliam abbatissa. (5) Et in die *SINE CUSTODIA MINIME DIMIT-TATUR* et una clave *FIRMITER OBSERETUR*. (6) *CAVEANT AUTEM STUDIOSISSIME ET PROCURENT NE UNQUAM OS-TIUM STET APERTUM, NISI QUANTO MINUS FIERI POTERIT CONGRUENTER*. (7) Nec omnino aperiatur alicui intrare volenti, nisi *CUI CONCESSUM FUERIT A SUMMO PONTIFICE* vel a nostro domino cardinali. (8) Nec ante solis ortum

---

Cap. 11 1-3. cf. Index III (Reg.Hug.) | 5-7. cf. Index III (Reg.Hug.) | 8. cf. *supra* 5, 14

---

67. Cf. *3 LAg* 31.

68. *Reg.Hug.* 13 : « Ad ostium sane monasterii custodiendum aliqua talis ex sororibus deputetur, quae omnino Deum timeat, quae sit matura moribus, sit diligens et discreta ; sitque convenientis aetatis. » — « Pour bien garder la porte du monastère, qu'on assigne une des sœurs, qui craigne vraiment Dieu, qui soit mûre dans ses mœurs, qui soit soigneuse et discrète ; et qu'elle soit d'un âge convenable. »

69. *Reg.Hug.* 13 : « Sit et alia aeque idonea ei socia deputata, quae eius vicem in omnibus exsequatur, cum ipsa aliqua rationabili causa vel occupatione necessaria occupata fuerit ac detenta. » — « Qu'on lui assigne aussi une autre, également capable, comme compagne, qui la

[11]

[DE LA GARDE DE LA CLÔTURE]

(1) Que la portière soit mûre dans ses mœurs et discrète [67], et qu'elle soit d'un âge convenable [68] ; que de jour elle réside là dans une cellule ouverte, sans porte. (2) Qu'on lui assigne aussi une compagne capable qui, lorsque ce sera nécessaire, la remplacera en tout [69]. (3) Que la porte soit bien munie de deux serrures différentes en fer, de battants et de barres, (4) afin qu'elle soit fermée, la nuit surtout, avec deux clés dont la portière aura l'une, l'abbesse l'autre. (5) Et que de jour elle ne soit jamais laissée sans garde et qu'elle soit bien fermée avec une clé [70]. (6) Qu'elles prennent garde avec beaucoup d'application et qu'elles veillent à ce que la porte ne reste jamais ouverte, sinon le moins qu'il se pourra convenablement [71]. (7) Et qu'on n'ouvre absolument pas à quiconque voudrait entrer, sinon à qui cela a été concédé par le souverain Pontife ou par notre seigneur le cardinal [72]. (8) Et qu'elles ne permettent à

remplacera en tout, lorsque pour une cause raisonnable ou une occupation nécessaire elle serait occupée ou retenue. »

70. *Reg.Hug.* 13 : « Sit autem seris ferreis cum valvis et vectibus optime communitum et omnino sine custodia minime dimittatur, nec etiam ad momentum, nisi clavi firmiter obseratum. » — « Qu'elle soit bien munie de serrures en fer avec des battants et des barres, et qu'elle ne soit jamais laissée sans garde, pas même pour un moment, sinon bien fermée à clé ».

71. *Reg.Hug.* 13 : « Caveant autem studiosissime et procurent, ne umquam ostium stet apertum, nisi tantum quantum minus fieri poterit congruenter. » — « Qu'elles prennent garde avec beaucoup d'application et qu'elles veillent à ce que la porte ne reste jamais ouverte, sinon le moins qu'il se pourra convenablement. »

72. *Reg.Hug.* 10 : « ... nec omnino hoc alicui liceat, nisi cui et de quibus concessum a Summo Pontifice fuerit vel a nobis. » — « ... et que cela ne soit permis absolument à personne, sinon à qui et à propos de quoi cela a été concédé par le souverain Pontife ou par nous. »

monasterium ingredi nec post solis occasum sorores intus aliquem remanere permittant, nisi exigente manifesta, rationabili et inevitabili causa. (9) *SI PRO BENEDICTIONE ABBATISSAE VEL PRO ALIQUA SORORUM IN MONIALEM CONSECRANDA VEL ALIO ETIAM MODO CONCESSUM FUERIT ALICUI EPISCOPO MISSAM INTERIUS CELEBRARE, QUAM PAUCIORIBUS ET HONESTIORIBUS POTERIT SIT CONTENTUS SOCIIS ET MINISTRIS.* (10) Cum autem *INTRA MONASTERIUM AD OPUS FACIENDUM* necesse fuerit *ALIQUOS INTROIRE, STATUAT* tunc sollicite abbatissa *PERSONAM* convenientem *AD* portam, (11) quae tantum illis *ET NON ALIIS AD OPUS DEPUTATIS* aperiat. (12) *CAVEANT STUDIOSISSIME* omnes sorores *NE* tunc ab ingredientibus *VIDEANTUR*.

9. cf. Index III (Reg.Hug.) | 10-12. cf. Index III (Reg.Hug.)

---

73. Cf. *1 LAg* 3.
74. *Reg.Hug.* 10: «Quod si forte pro benedictione abbatissae vel pro aliqua sorore consecranda in monialem, vel alio etiam modo concessum alicui episcopo fuerit missam interius aliquando celebrare, quam paucioribus et honestioribus potuerit contentus sit sociis et ministris.» — «Que si, pour la bénédiction d'une abbesse, ou pour consacrer une sœur comme moniale, ou même d'une autre manière, il était concédé à un évêque de célébrer la messe à l'intérieur, il se contente de compagnons et de ministres les moins nombreux et les plus honnêtes possible.»

personne d'entrer dans le monastère avant le lever du
soleil, ni de rester à l'intérieur après le coucher du
soleil, sauf si une cause manifeste, raisonnable et
inévitable l'exige. (9) Si, pour la bénédiction d'une
abbesse ou pour consacrer une sœur comme moniale ou
même d'une autre manière, il était concédé à un évêque
de célébrer la messe à l'intérieur, qu'il se contente de
compagnons et de ministres les moins nombreux et les
plus honnêtes [73] possible [74]. (10) Lorsqu'il sera nécessaire
pour quelques-uns d'entrer dans le monastère pour faire
un ouvrage, que l'abbesse place alors soigneusement au
portail la personne qui convient (11) et qui ouvrira
seulement à ceux qui ont été députés à l'ouvrage et pas
à d'autres. (12) Que toutes les sœurs prennent garde
avec beaucoup d'application d'être vues alors par ceux
qui entrent [75].

75. *Reg.Hug.* 13 : « Quod si aliquando intra monasterium opus
aliquod fuerit faciendum, ad quod agendum saeculares aliquos vel
quascumque personas alias oporteat introire, provideat abbatissa
sollicite ut, dum opus scilicet exercetur, aliqua alia persona conveniens
ad custodiendum ostium statuatur ; quae sic personis ad opus deputatis
aperiat, quod alias penitus intrare non permittat. Nam dominae ipsae,
et tunc et semper, quantumcumque rationabiliter praevaleant, studiosissime caveant, ne a saecularibus vel personis extraneis videantur. »
— « Que s'il fallait faire quelque ouvrage à l'intérieur du monastère,
que pour réaliser cela devaient entrer des séculiers ou n'importe
quelles autres personnes, l'abbesse veille soigneusement à ce que, tant
que dure l'ouvrage, une autre personne qui convient soit placée pour
garder la porte ; celle-ci ouvrira aux personnes députées à l'ouvrage,
mais ne permettra absolument pas à d'autres d'entrer. Et les dames
elles-mêmes, et alors et toujours, autant qu'elles le pourront raisonnablement, prendront garde avec beaucoup d'application d'être vues par
des séculiers ou des personnes étrangères. »

[CAPUT XII]

[DE VISITATORE, CAPELLANO ET CARDINALI PRO-
TECTORE]

(1) Visitator noster sit semper de Ordine Fratrum
Minorum secundum voluntatem et mandatum nostri
cardinalis. (2) Et sit *TALIS DE CUIUS HONESTATE ET
MORIBUS PLENA NOTITIA HABEATUR*. (3) Cuius officium
erit, *TAM IN CAPITE QUAM IN MEMBRIS*, corrigere ex-
cessus commissos contra formam professionis nostrae.
(4) Qui stans in loco publico, ut videri ab aliis possit,
cum pluribus et singulis loqui liceat quae ad visitationis
officium pertinent secundum quod melius viderit expedire. (5) Capellanum etiam cum uno socio clerico
bonae famae, discretionis providae, et duos fratres laicos
sanctae conversationis et honestatis amatores (6) in
subsidium paupertatis nostrae, sicut misericorditer a
praedicto Ordine Fratrum Minorum semper habuimus,
(7) intuitu pietatis Dei et beati Francisci, ab eodem
Ordine de gratia postulamus. (8) Non liceat capellano
sine socio monasterium ingredi. (9) Et intrantes in loco
sint publico, ut se possint alterutrum semper et ab aliis
intueri. (10) Pro confessione infirmarum quae ad locuto-

Cap. 12 1. cf. Index III (Reg.Inn.) | 2-3. cf. Index III (Reg.Hug.)

---

76. *Reg.Inn.* 8: «Statuimus insuper, quod generalis et provinciales
ministri dicti Ordinis dumtaxat, per se vel per alios idoneos fratres
suos, in generali capitulo deputatos ab ipsis, vobis, tam in capite quam
in membris, officium visitationis, correctionis et reformationis im-
pendant.» — «Nous décidons en outre que les ministres dudit Ordre
seulement, général et provinciaux, par eux-mêmes ou par d'autres de
leurs frères, capables, assignés par eux au chapitre général, rempliront
pour vous, tant dans la tête que dans les membres, l'office de la
visite, de la correction et de la réforme.»

[12]

[DU VISITEUR, DU CHAPELAIN ET DU CARDINAL PROTECTEUR]

(1) Que notre visiteur soit toujours de l'Ordre des Frères Mineurs, selon la volonté et le commandement de notre cardinal [76]. (2) Et qu'il soit tel qu'on ait pleine connaissance de son honnêteté [77] et de ses mœurs. (3) Son office sera de corriger, tant dans la tête que dans les membres, les excès commis contre la forme de notre profession [78]. (4) Se tenant dans un lieu public, pour pouvoir être vu des autres, qu'il lui soit permis de parler avec plusieurs et avec chacune de ce qui relève de l'office de la visite, comme il le verra plus expédient. (6) Et aussi, comme nous avons toujours miséricordieusement eu dudit Ordre des Frères Mineurs, pour subvenir à notre pauvreté, (5) un chapelain avec un compagnon clerc de bon renom, d'une discrétion [79] prévoyante, et deux frères laïcs de sainte conduite et amants de l'honnêteté [80], (7) par égard à la pitié de Dieu et du bienheureux François, nous les demandons en grâce au même Ordre. (8) Qu'il ne soit pas permis au chapelain d'entrer dans le monastère sans compagnon. (9) Et quand ils entrent, qu'ils soient dans un lieu public, pour qu'ils puissent toujours se regarder l'un l'autre et être regardés par les autres. (10) Pour la

77. Cf. *1 LAg* 3.
78. *Reg.Hug.* 12 : « De visitatore huius religionis illud est sollicite providendum, ut ... talis debeat constitui, de cuius religiosa vita et moribus atque fide notitia plena et securitas habeatur. ... corrigat et reformet tam in capite quam in membris. » — « Au sujet du visiteur de cette religion, il faut veiller soigneusement à ce que soit nommé quelqu'un dont on ait pleine connaissance et assurance quant à la vie religieuse, les mœurs et la foi. ... qu'il corrige et réforme tant dans la tête que dans les membres. »
79. Cf. *3 LAg* 31.
80. Cf. *1 LAg* 3.

rium ire non possent, pro communicandis eisdem, pro extrema unctione, pro animae commendatione, liceat eisdem intrare. (11) Pro exsequiis vero et missarum sollemniis defunctorum et AD FODIENDAM VEL APE-RIENDAM SEPULTURAM SEU etiam COAPTANDAM possint sufficientes et idonei de abbatissae providentia introire.

(12) AD HAEC sorores firmiter teneantur semper habere illum DE SANCTAE ROMANAE ECCLESIAE CARDI-NALIBUS pro nostro GUBERNATORE, PROTECTORE ET CORRECTORE, qui fuerit a domino papa Fratribus Minoribus deputatus, (13) UT SEMPER SUBDITAE ET SUBIECTAE PEDIBUS EIUSDEM SANCTAE ECCLESIAE, stabiles in fide CATHOLICA, PAUPERTATEM ET HUMILI-TATEM DOMINI NOSTRI JESU CHRISTI et eius sanctissimae matris ET SANCTUM EVANGELIUM, QUOD FIRMITER PRO-MISIMUS, in perpetuum OBSERVEMUS. Amen.

[Datum Perusii, sexto decimo kalendas octobris, pon-tificatus vero domini Innocentii papae IV anno decimo.

Nulli ergo omnino hominum liceat hanc paginam nostrae confirmationis infringere vel ei ausu temerario contraire. Si quis autem hoc attentare praesumpserit, indignationem omnipotentis Dei et beatorum Petri et Pauli apostolorum eius se noverit incursurum.]

Datum Assisii, quinto idus augusti, pontificatus nostri anno undecimo.

---

11. cf. Index III (Reg.Hug.) | 12-13. 2 Reg 12, 3-4 | 13. cf. Col 1, 23.

---

81. *Reg.Hug.* 11 : « Si autem necesse fuerit, ut ad fodiendam vel aperiendam sepulturam, seu certe postmodum coaptandam ingrediatur, sit ei ... licitum introire. » — « S'il était nécessaire d'entrer pour creuser ou ouvrir une sépulture ou même pour l'arranger ensuite, qu'il lui soit ... licite d'entrer. »

confession des malades qui ne pourraient pas aller au parloir, pour les faire communier, pour l'extrême-onction, pour la recommandation de l'âme, qu'il leur soit permis d'entrer. (11) Mais pour les obsèques et la célébration de la messe des défunts, et pour creuser ou ouvrir une sépulture ou même pour l'arranger, que des personnes en nombre suffisant et capables puissent entrer, d'après la prévoyance de l'abbesse [81].

(12) En vue de tout ceci [82], que les sœurs soient fermement tenues de toujours avoir pour notre gouverneur, protecteur et correcteur, celui des cardinaux de la sainte Église romaine qui a été député aux Frères Mineurs par le seigneur pape [83], (13) afin que, toujours soumises et prosternées aux pieds de cette même sainte Église, stables dans la foi catholique, nous observions perpétuellement la pauvreté et l'humilité de notre Seigneur Jésus-Christ et de sa très sainte mère, et le saint évangile, que nous avons fermement promis. Amen.

[Donné à Pérouse, le seize des calendes d'octobre, la dixième année du pontificat du seigneur pape Innocent IV [84].

Qu'il ne soit donc permis absolument à aucun homme d'enfreindre cette page de notre confirmation ou d'y contrevenir par une audace téméraire. Si quelqu'un avait la présomption de le tenter, qu'il sache qu'il encourra l'indignation de Dieu tout-puissant et de ses bienheureux apôtres Pierre et Paul.

Donné à Assise, le cinq des ides d'août, la onzième année de notre pontificat [85].]

---

82. *Ad haec* désigne l'ensemble de la Règle.

83. Le premier cardinal protecteur fut Hugolin, évêque d'Ostie et de Velletri. Lorsqu'il devint pape sous le nom de Grégoire IX, le 19 mars 1227, il fut remplacé par le cardinal Raynald, qui deviendra à son tour pape le 12 décembre 1254, sous le nom d'Alexandre IV.

84. C'est-à-dire le 16 septembre 1252.

85. C'est-à-dire le 9 août 1253.

TESTAMENTUM

(1) *In nomine Domini.* Amen.

(2) Inter alia beneficia, quae a largitore nostro *Patre misericordiarum* recepimus et quotidie recipimus et unde Christi glorioso Patri gratiarum actiones magis agere debemus, (3) est de vocatione nostra, quae quanto perfectior et maior est, tanto magis illi plus debemus. (4) Unde apostolus: Agnosce *vocationem tuam*. (5) Factus est nobis Filius Dei *via*, quam *verbo* et *exemplo* ostendit et docuit nos beatissimus pater noster Franciscus, verus amator et imitator ipsius.

(6) Igitur considerare debemus, sorores dilectae, immensa beneficia Dei in nobis collata, (7) sed inter cetera, quae per servum suum dilectum patrem nostrum beatum Franciscum in nobis Deus dignatus est operari, (8) non solum post conversionem nostram, sed etiam dum essemus in saeculi misera vanitate. (9) Nam cum ipse sanctus adhuc non habens fratres nec socios, statim quasi post conversionem suam, (10) cum ecclesiam

---

Tit. Testamentum: Incipit testamentum *M* Incipit testamentum sanctae Clarae *Up* Incipit testamentum beatae Clarae *Ur* ‖ 2 alia *om. Ur* | et quotidie recipimus *om. Up* | et unde — Patri *M Ma Up*: unde ipsi glorioso *Ur* exinde ipsi glorioso *Wa* | magis agere *M Ma Up*: referre magis *Ur Wa* ‖ 3 est de vocatione nostra *M Ma Up*: de vocatione nostra *Ur* magna est vocatio nostra *Wa* | plus: plurimum *Wa* ‖ 5 beatissimus: beatus *Wa* ‖ 6 considerare: desiderare *Up* | in *om. Wa* ‖ 7 suum *om. Up* | Deus *om. Up Ur Wa* | operari: pari *Ma* ‖ 8 misera vanitate *M Up*: misera nativitate *Ma* miseria et nativitate *Ur* vanitate *Wa* ‖ 9 quasi *om. Ur*

TESTAMENT

(1) Au nom du Seigneur. Amen.

(2) Entre autres bienfaits que nous avons reçus et que nous recevons chaque jour de notre donateur, le Père des miséricordes, et pour lesquels nous devons davantage rendre des actions de grâces au glorieux Père du Christ, (3) il y a notre vocation, dont nous lui sommes d'autant plus redevables qu'elle est plus parfaite et plus grande. (4) D'où l'Apôtre : Reconnais ta vocation. (5) Le Fils de Dieu s'est fait pour nous la voie, que par la parole et par l'exemple nous a montrée et enseignée notre très bienheureux père François, son vrai amant et imitateur.

(6) Nous devons donc considérer, sœurs bien-aimées, les immenses bienfaits de Dieu qui nous ont été conférés, (7) mais entre tous, ceux que Dieu a daigné opérer en nous par son serviteur bien-aimé, notre père bienheureux, François, (8) non seulement après notre conversion, mais même tandis que nous étions dans la misérable vanité du siècle. (9) En effet, alors que le saint lui-même n'ayant encore ni frères ni compagnons, quasi aussitôt après sa conversion, (10) alors qu'il

---

1. Col 3, 17 | 2. 2 Co 1, 3 | 4. cf. 1 Co 1, 26 ; cf. Index III (Léon, Sermo XXI) | 5. cf. Jn 14, 6 ; cf. 1 Tm 4, 12

Sancti Damiani aedificaret, ubi consolatione divina totaliter visitatus, compulsus est saeculum ex toto relinquere, (11) prae magna laetitia et illustratione Spiritus Sancti de nobis prophetavit, quod Dominus postea adimplevit.

(12) Ascendens enim tunc temporis super murum dictae ecclesiae, quibusdam pauperibus, ibi iuxta morantibus, *ALTA VOCE* lingua *FRANCIGENA* loquebatur : (13) *VENITE ET ADIUVATE ME IN OPERE* monasterii *SANCTI DAMIANI*, (14) quoniam adhuc erunt *DOMINAE* ibi, *QUARUM FAMOSA VITA* et conversatione sancta *glorificabitur Pater NOSTER caelestis IN UNIVERSA ECCLESIA* sua sancta.

(15) In hoc ergo considerare possumus copiosam benignitatem Dei in nobis, (16) qui propter abundantem misericordiam et caritatem suam de nostra *vocatione et electione* per sanctum suum dignatus est ista loqui. (17) Et non solum de nobis ista pater noster beatissimus Franciscus prophetavit, sed etiam de aliis, quae venturae erant in vocatione sancta, in qua Dominus nos vocavit.

(18) Quanta ergo sollicitudine quantoque studio mentis et corporis mandata Dei et patris nostri servare debemus ut cooperante Domino *talentum* multiplicatum reddamus! (19) Ipse enim Dominus non solum posuit

---

10 aedificaret : rehedificaret *Ur* ‖ 11 prophetavit : prophetizavit *Wa* | Dominus postea *Up Ur* : postea Dominus *M Ma* Dominus post *Wa* ‖ 13 opere : opera *Ma Ur* ‖ 14 ibi *om. Ur* | famosa — sancta : famosa et sancta conversatione *Wa* ‖ 17 pater — Franciscus *M Ma* : pater beatissimus Franciscus *Up* pater noster beatissimus *Ur* beatissimus pater noster *Wa* | prophetavit : prophetizavit *Ur Wa* | qua : quam *Wa* | vocavit nos *Ur* ‖ 18 reddamus : ei reddamus *Ur Wa* ‖ 19 nos posuit *Up Ur*

12-13. cf. Index IV (Leg. 3 Soc. 24) | 14. cf. Mt 5, 16 | 16. cf. 2 P 1, 10 | 18. cf. Mt 25, 15-23

édifiait l'église de Saint-Damien, où totalement visité
par la consolation divine il fut poussé à abandonner tout
à fait le siècle, (11) en raison d'une grande allégresse et
de l'illumination de l'Esprit-Saint, il prophétisa de nous
ce que le Seigneur ensuite accomplit[1].

(12) Montant en effet à cette époque sur le mur de
ladite église, il parlait à haute voix en langue française à
quelques pauvres qui demeuraient juste à côté : (13)
Venez et aidez-moi au chantier[2] du monastère de
Saint-Damien, (14) parce qu'il y aura là des dames dont
la vie renommée et la sainte conduite glorifieront notre
Père céleste dans toute sa sainte Église[3].

(15) En cela, nous pouvons considérer la très copieuse bienveillance de Dieu pour nous, (16) Lui qui, à
cause de son abondante miséricorde et de sa charité, a
daigné, par son saint, parler ainsi de notre vocation et
de notre élection. (17) Et ce n'est pas seulement de
nous que notre père très bienheureux, François, prophétisa cela, mais aussi des autres qui devaient venir à la
sainte vocation à laquelle le Seigneur nous a appelées.

(18) Aussi avec quelle sollicitude et avec quelle
application de l'esprit et du corps devons-nous garder
les commandements de Dieu et de notre père afin de
rendre, avec l'aide du Seigneur, le talent multiplié ! (19)
Le Seigneur lui-même, en effet, nous a placées comme

---

1. Claire proclame ici l'antériorité des Sœurs par rapport aux
Frères.
2. Litt. « œuvre ». Le mot peut désigner aussi une fabrique
d'église : cf. Du Cange, *Glossarium Mediae et Infimae Latinitatis*, s. v.
Opus.
3. Cf. *Legenda Trium Sociorum*, 24, éd. T. Desbonnets, dans
Archivum Franciscanum Historicum 67 (1974), p. 38-144.

nos ut formam aliis in exemplum et speculum, sed etiam sororibus nostris, quas ad vocationem nostram Dominus advocabit, (20) ut et ipsae sint conversantibus in mundo in speculum et exemplum. (21) Cum igitur nos vocaverit Dominus ad tam magna, ut in nobis se valeant speculari quae aliis in speculum sunt et exemplum, (22) tenemur multum benedicere Deum et laudare et ad benefaciendum in Domino confortari amplius. (23) Quapropter, si secundum formam praedictam vixerimus, *exemplum* nobile aliis *relinquemus* et aeternae beatitudinis *bravium* labore brevissimo acquiremus.

(24) *POSTQUAM ALTISSIMUS PATER CAELESTIS PER* misericordiam suam et *GRATIAM COR MEUM DIGNATUS EST ILLUSTRARE, UT EXEMPLO ET DOCTRINA BEATISSIMI PATRIS NOSTRI FRANCISCI POENITENTIAM FACEREM*, (25) *PAULO POST CONVERSIONEM IPSIUS, UNA CUM* paucis *SORORIBUS* quas Dominus mihi dederat paulo post conversionem meam, *OBEDIENTIAM VOLUNTARIE SIBI PROMISI*, (26) sicut Dominus lumen gratiae suae nobis contulerat per eius vitam mirabilem et doctrinam. (27) *ATTENDENS AUTEM BEATUS* Franciscus *QUOD* essemus fragiles et debiles secundum corpus, nullam tamen necessitatem, *PAUPERTATEM, LABOREM, TRIBULATIONEM VEL VILITATEM ET CONTEMPTUM SAECULI* recusabamus, (28) *IMMO PRO MAGNIS DELICIIS* reputabamus sicut

exemplum : exemplo *Up* | advocavit *Ur Wa* || 20 et[1] : etiam *Ur* | in[2] *om. Wa* || 21 vocaverit nos *M Ma* | se *om. Ur* | speculari : inspicere *Ma* | sunt in exemplum et speculum *Ur Wa* || 22 Deum : Dominum *Ur Wa* | et[2] *om. Ma* | in Domino amplius confortari *Ur* amplius in Domino confortari *Wa* || 24 altissimus *Up Ur Wa* : beatissimus *M Ma* | est dignatus *Ur* | illustrare : illuminare *Ma* || 25 Dominus — meam *M Ma Up* : mihi Dominus dederat post conversionem meam *Ur* Dominus paulo post meam conversionem dederat mihi *Wa* | sibi voluntarie *Wa* || 26 mirabilem *M Ma Up* : laudabilem *Ur Wa* || 27 debiles et fragiles *Wa* | tamen *om. Ur* | vilitatem : utilitatem *Ur* | recusabamus *M Ma Up* : timebamus *Ur* renuimus *Wa* || 28 magnis : magis *Ma* | sicut *om.*

une forme en exemple et miroir, non seulement pour les autres, mais aussi pour nos sœurs que le Seigneur appellera à notre vocation, (20) pour qu'elles aussi soient un miroir et un exemple pour ceux qui vivent dans le monde. (21) Puisque le Seigneur nous a donc appelées à de si grandes choses, qu'en nous puissent se mirer celles qui sont pour les autres un miroir et un exemple, (22) nous sommes tenues de beaucoup bénir et louer Dieu, et de nous fortifier de plus en plus dans le Seigneur pour faire le bien. (23) C'est pourquoi, si nous vivons selon la forme susdite, nous laisserons aux autres un noble exemple et nous acquerrons par un très bref labeur le prix de l'éternelle béatitude.

(24) Après que le très haut Père céleste eut daigné, par sa miséricorde et par sa grâce, éclairer mon cœur pour qu'à l'exemple et selon l'enseignement de notre très bienheureux père François je fasse pénitence, (25) peu après sa conversion, ensemble avec les quelques sœurs que le Seigneur m'avait données peu après ma conversion, je lui promis volontairement obéissance [4], (26) comme le Seigneur nous avait conféré la lumière de sa grâce par sa vie admirable et son enseignement. (27) Le bienheureux François, considérant que nous étions fragiles et faibles selon le corps et que cependant nous ne refusions aucune nécessité, aucune pauvreté, aucun labeur, aucune tribulation, même aucun avilissement et aucun mépris du siècle, (28) bien au contraire, que nous les comptions pour grandes délices, comme il nous avait

---

4. Ce qui signifie la création d'un lien juridique : François reçut Claire à l'obéissance. Cf. *RegCl* 1, 4.

Ur Wa

---

23. cf. 2 M 6, 28.31 ; cf. Ph 3, 14 | 24-29. RegCl 6, 1-2

exemplis sanctorum et fratrum suorum examinaverat nos frequenter, gavisus est multum in Domino; (29) et AD PIETATEM erga nos MOTUS, obligavit se nobis per se et per religionem suam HABERE SEMPER DE nobis TAM-QUAM DE FRATRIBUS suis CURAM DILIGENTEM ET SOLLI-CITUDINEM SPECIALEM.

(30) Et sic de voluntate Dei et beatissimi patris nostri Francisci ivimus ad ecclesiam Sancti Damiani moraturae, (31) ubi Dominus in brevi tempore per misericordiam suam et gratiam nos multiplicavit, ut impleretur quod Dominus praedixerat per sanctum suum. (32) Nam antea steteramus in loco alio, licet parum.

(33) Postea SCRIPSIT NOBIS FORMAM VIVENDI et maxime ut in sancta paupertate semper perseveraremus. (34) Nec fuit contentus in vita sua nos HORTARI MULTIS SERMONIBUS et exemplis ad amorem sanctissimae pau-pertatis et observantiam eiusdem, sed plura scripta nobis tradidit, ne post mortem suam ullatenus declinaremus ab ipsa, (35) sicut et Dei Filius, dum vixit in mundo, ab ipsa sancta paupertate numquam voluit declinare. (36) Et beatissimus pater noster Franciscus, eius vestigia imitatus, sanctam paupertatem suam, quam elegit per se et per suos fratres, exemplo suo et doctrina, dum vixit, ab ipsa nullatenus declinavit.

exemplis: ad exempla Ur | et: etiam Up | examinaverat nos frequenter M Ma Up: examinaverat nos frequens Ur sicut ipse et fratres sui examinaverunt frequenter Wa | gavisus est: et gavisus Ur || 29 ad pietatem: pietate Ur | se[1] om. Up | nobis[1]: vel Wa | per[2] om. Ur || 30 Dei M Ma Up: Domini Ur Wa | nostri: sancti add. M Ma | ivimus: ibimus Ur || 31 misericordiam suam et gratiam Up Ur Wa: misericordiam et gratiam suam Ma misericordiam suam M | Dominus[2] om. Ur | praedixerat: dixerat Ma || 32 antea om. Wa | alio loco Wa || 34 contentus fuit Ur Wa | multis: multe Ma | amorem — eiusdem M Ma Up: amorem et observantiam sanctissimae paupertatis Ur Wa | sed: et add. Wa | ullatenus: nullatenus Ur || 36 Et[1]: Ita et Ur | noster: sanctus add. M Ma | imitatus: imitata sum Up | suam om. Ur | quam: qui Up | per[2] om. Ma Ur | ipsa: illa Wa

fréquemment examinées d'après les exemples des saints
et de ses frères, il se réjouit beaucoup dans le Seigneur ;
(29) et ému de pitié [5] à notre égard, il s'obligea vis-à-vis
de nous à avoir toujours, par lui et par sa religion, un
soin affectueux et une sollicitude spéciale pour nous,
comme pour ses frères.

(30) Et ainsi, par la volonté de Dieu et de notre très
bienheureux père François, nous allâmes demeurer à
l'église de Saint-Damien, (31) où, en peu de temps, le
Seigneur par sa miséricorde et par sa grâce nous
multiplia, afin que s'accomplît ce que le Seigneur avait
prédit par son saint. (32) Car avant cela nous étions
restées dans un autre lieu [6], bien que peu de temps.

(33) Après cela, il nous écrivit une forme de vie, et
surtout pour que nous persévérions toujours dans la
sainte pauvreté. (34) Et il ne se contenta pas de nous
exhorter durant sa vie par des discours et des exemples
nombreux à l'amour de la très sainte pauvreté et à son
observance, mais il nous transmit plusieurs écrits, afin
qu'après sa mort nous ne nous en écartions en aucune
façon, (35) comme aussi le Fils de Dieu, tant qu'il vécut
dans le monde, ne voulut jamais s'écarter de cette
sainte pauvreté. (36) Et notre très bienheureux père
François, ayant imité ses traces, sa sainte pauvreté qu'il
choisit par lui et par ses frères, ne s'écarta d'elle en
aucune façon, dans son exemple et son enseignement,
tant qu'il vécut.

5. On pourrait traduire aussi par *piété*. Cf. *RegCl* 6, 2 ; *1 LAg* 17.
6. Claire séjourna quelques jours au monastère des Bénédictines de
Saint-Paul à Bastia, puis demeura quelque temps au monastère de
Sant'Angelo di Panzo, tout près d'Assise. Cf. *Legenda s. Clarae,* 8 et
10 (éd. F. Pennacchi, Assise 1910).

33. RegCl 6, 2 | 34. cf. Ac 20, 2 | 36. cf. 1 P 2, 21

(37) Considerans igitur, ego Clara, Christi et sororum pauperum monasterii Sancti Damiani ancilla, licet indigna, et plantula sancti patris, cum aliis meis sororibus, tam altissimam professionem nostram et tanti patris mandatum, (38) fragilitatem quoque aliarum, quam timebamus in nobis post obitum sancti patris nostri Francisci, qui erat *columna* nostra et unica consolatio post Deum et *firmamentum*, (39) iterum atque iterum voluntarie nos obligavimus dominae nostrae sanctissimae paupertati, ne post mortem meam sorores, quae sunt et quae venturae sunt, ab ipsa valeant ullatenus declinare.

(40) *ET SICUT EGO* studiosa et *SOLLICITA SEMPER FUI SANCTAM PAUPERTATEM, QUAM DOMINO ET PATRI NOSTRO BEATO FRANCISCO PROMISIMUS*, observare et ab aliis facere observari, (41) sic *TENEANTUR USQUE IN FINEM* illae *QUAE MIHI SUCCEDENT IN OFFICIO* sanctam paupertatem cum Dei auxilio *OBSERVARE* et facere observari. (42) Immo etiam ad maiorem cautelam sollicita fui a domino papa Innocentio, sub cuius tempore coepimus, et ab aliis successoribus suis nostram professionem sanctissimae paupertatis, quam Domino et beato patri nostro promisimus, eorum privilegiis facere roborari, (43) ne aliquo tempore ab ipsa declinaremus ullatenus.

---

37 sororum: soror *Up* | plantuncula *Wa* | meis *om. Wa* | tam *om. Wa* | nostram *om. Ur* ‖ 38 fragilitatem: et fragilitatem *Ur* | nostri Francisci *om. Ur* | nostra *om. Ur Wa* | et[1] *om. Wa* ‖ 39 atque: et *Up* | ne: nec *Ur* | quae[2] *om. Ur Wa* | nullatenus M ‖ 40 studiosa et sollicita: studiose sollicita *Ur* | beato: sancto *Wa* ‖ 41 *om. Wa* | Dei *M Ma Up*: Domini *Ur* ‖ 42 fui: et procuravi *add. Ma* | Domino et beato: et *Wa* | roborari *M Ma Up*: corroborari *Ur Wa* ‖ 43 ne: nec *Ma* | declinaremus ullatenus *M Ma Up*: nullatenus declinaremus *Ur* ullatenus declinaremus *Wa*

---

38. cf. 1 Tm 3, 15 | 40-41. RegCl 6, 10-11

(37) Moi donc, Claire, servante, quoique indigne, du Christ et des Sœurs Pauvres du monastère de Saint-Damien, et petite plante du saint père, considérant avec mes autres sœurs notre si haute profession et le commandement d'un tel père, (38) et aussi la fragilité des autres, que nous craignions en nous-mêmes après le trépas de notre saint père François qui était notre colonne, notre unique consolation après Dieu et notre appui, (39) encore et encore nous nous sommes volontairement obligées envers notre dame la très sainte pauvreté, afin qu'après ma mort les sœurs qui sont et qui viendront ne puissent en aucune façon s'écarter d'elle.

(40) Et comme moi-même je me suis toujours appliquée et je fus toujours soucieuse d'observer et de faire observer par les autres la sainte pauvreté, que nous avons promise au Seigneur et à notre père le bienheureux François, (41) qu'ainsi celles qui me succéderont dans l'office soient tenues jusqu'à la fin d'observer et de faire observer, avec l'aide de Dieu, la sainte pauvreté. (42) Bien plus, pour plus de précautions, je fus soucieuse de faire renforcer notre profession de la très sainte pauvreté, que nous avons promise au Seigneur et à notre bienheureux père, par des privilèges du seigneur pape Innocent[7], au temps de qui nous commençâmes, et de ses successeurs, (43) afin qu'à aucun moment, nous ne nous écartions en aucune façon d'elle.

---

7. Allusion au Privilège de la pauvreté accordé par Innocent III, puis renouvelé par Grégoire IX en 1228 (voir en appendice). Cf. P. SABATIER, « Le Privilège de la pauvreté », dans *Revue d'Histoire Franciscaine* 1 (1924), p. 1-54.

8. Expression également utilisée par Thomas de Celano, *Vita prima s. Francisci*, 45, 101 (*Analecta Franciscana* X). Elle désigne l'homme intérieur et l'homme extérieur, ce qui, dans une personne, est visible et ce qui ne l'est pas.

(44) Quapropter, flexis genibus et utroque homine inclinato, sanctae matri Ecclesiae Romanae, summo pontifici et praecipue domino cardinali, qui religioni Fratrum Minorum et nobis fuerit deputatus, recommendo omnes sorores meas quae sunt et quae venturae sunt,

(45) ut amore illius Dei,
qui pauper *positus est in praesepio*,
pauper vixit in saeculo
et nudus remansit in patibulo,

(46) semper *gregi* suo *pusillo*, quem Dominus Pater genuit in Ecclesia sua sancta, verbo et exemplo beatissimi patris nostri sancti Francisci insequendo paupertatem et humilitatem dilecti Filii sui et gloriosae Virginis matris suae, (47) sanctam paupertatem, quam Deo et beatissimo patri nostro sancto Francisco promisimus, faciat observari et in ipsa dignetur fovere ipsas semper et conservare.

(48) Et sicut Dominus dedit nobis beatissimum patrem nostrum Franciscum in fundatorem, plantatorem et adiutorem nostrum in servitio Christi et in his quae Domino et beato patri nostro promisimus, (49) qui etiam dum vixit sollicitus fuit verbo et opere semper excolere et fovere nos, plantulam suam, (50) sic recommendo et relinquo sorores meas, quae sunt et quae venturae sunt, successori beatissimi patris nostri Francisci et toti religioni, (51) ut sint nobis in adiutorium proficiendi semper in melius ad serviendum Deo et

44 matri: matris *Ur* | et[2] *om. Ur* | fuerit: fuit *Ma* | quae[2] *om. Ur Wa* || 45 Dei *M Ma Up*: Domini *Ur Wa* | est *om. Ur Wa* | saeculo *Up Ur Wa*: hoc saeculo *M Ma* || 46 Pater *om. Ur* | beatissimi — Francisci *M Ma Up*: beatissimi patris Francisci *Ur* beati patris Francisci *Wa* | Virginis: Mariae *add. M Ma* || 47 Deo: Domino *Up Ur* | sancto *om. Ur Wa* | fovere: *om. Ma* favere *Up* | ipsas *om. Ur* || 48 nostrum[1]: sanctum *add. M Ma* | Domino et beato *M Ma*: Domino et *Up* Domino et ipsi *Ur* Deo et ipsi *Wa* || 50 quae[2] *om. Up Ur Wa* |

(44) C'est pourquoi, les genoux fléchis et l'un et
l'autre homme incliné[8], je recommande toutes mes
sœurs qui sont et qui viendront à la sainte mère l'Église
romaine, au souverain Pontife et en particulier au
seigneur cardinal qui a été député à la religion des
Frères Mineurs et à nous, (45) afin que,
par amour pour ce Dieu
qui pauvre fut déposé dans une crèche,
pauvre vécut dans le siècle
et nu est resté sur le gibet,
(46) il fasse que toujours son petit troupeau, que le
Seigneur Père a engendré dans sa sainte Église par la
parole et l'exemple de notre très bienheureux père saint
François pour suivre la pauvreté et l'humilité de son Fils
bien-aimé et de la glorieuse Vierge, sa mère, (47)
observe la sainte pauvreté que nous avons promise à
Dieu et à notre très bienheureux père saint François, et
qu'en elle il daigne toujours les encourager et les
conserver.

(48) Et comme le Seigneur nous donna notre très
bienheureux père François comme fondateur, planteur
et notre aide dans le service du Christ et en ce que
nous avons promis au Seigneur et à notre bienheureux
père, (49) lui qui aussi, tant qu'il vécut, fut soucieux de
toujours, en parole et en acte, bien nous cultiver et
nous encourager, nous sa petite plante, (50) ainsi je
recommande et je laisse mes sœurs, qui sont et qui
viendront, au successeur de notre très bienheureux père
François et à toute la religion, (51) afin qu'ils nous
aident à toujours progresser vers le mieux pour servir

successoribus *Ur* | beati *Wa* | nostri: sancti *add. M Ma* || 51 in²: et
Up | Deo: Domino *Ur*

45. Lc 2, 12 | 46. cf. Lc 12, 32

8. *Voir p. 175.*

observandam praecipue melius sanctissimam paupertatem.

(52) Si vero contingeret aliquo tempore dictas sorores locum dictum relinquere et ad alium se transferre, praedictam formam paupertatis, quam Deo et beatissimo patri nostro Francisco promisimus, post mortem meam ubicumque fuerint, observare nihilominus teneantur.

(53) Sit tamen sollicita et providens tam illa, quae erit in officio, quam aliae sorores, ne circa supradictum locum de terra acquirant vel recipiant, nisi quantum extrema necessitas PRO HORTO ad excolenda olera poposcit. (54) Si autem ab aliqua parte PRO HONESTATE ET REMOTIONE MONASTERII, ex saepta horti oporteret plus haberi de terra, non permittant plus acquiri vel etiam recipiant, NISI QUANTUM extrema NECESSITAS poscit. (55) ET ILLA TERRA penitus NON LABORETUR nec seminetur, sed semper solida et inculta permaneat.

(56) MONEO ET EXHORTOR IN DOMINO JESU CHRISTO omnes sorores meas, quae sunt et quae venturae sunt, ut semper studeant imitari viam sanctae simplicitatis, humilitatis, paupertatis ac etiam honestatem sanctae conversationis, (57) sicut ab initio nostrae conversionis a

observandam M Up: observandum Ma ad observandum Ur Wa | sanctam Ur ‖ 52 contingeret M Up Wa: contigerit Ur contigerit et Ma | dictas om. Ur | dictum locum Wa | Deo: Domino Up Ur | nostro: sancto add. M Ma | meam om. M. | observare: servare Wa | teneatur Ma ‖ 53 Sit Up Ur: om. M Ma Si Wa | sollicita: semper add. Ur Wa | acquirant: requirant Ur | olera om. M Ma | poposcerit Ur Wa ‖ 54 Si Up Ur Wa: Sit M Ma | ab aliqua parte: aliquo tempore Wa | monasterii om. Ur | ex saepta M Ma: excepta Up extra saeptam Ur extra saeptum Wa | oporteret Up Ur Wa: oportet M Ma | vel etiam recipiant om. Wa | poscit om. Ur ‖ 56 exhortor: hortor Wa | quae[2] om. Up Ur Wa | ut om. Ma | humilitatis: et humilitatis Ur | paupertatis: et paupertatis Ur Wa | honestates Up ‖ 57 nostrae Up Ur Wa: meae M Ma | a Christo: ad Christum Wa | sumus M Ma Up: fuimus Ur Wa | et om. Wa | beatissimo: beato Wa

53-55. RegCl 6, 14-15 | 56. 2 Reg 10, 7; RegCl 10, 6

Dieu, et en particulier pour mieux observer la très sainte pauvreté.

(52) Et s'il arrivait en quelque temps que lesdites sœurs abandonnent ledit lieu et se transfèrent à un autre[9], qu'elles soient néanmoins tenues, partout où elles seront après ma mort, d'observer la susdite forme de pauvreté que nous avons promise à Dieu et à notre très bienheureux père François.

(53) Cependant que celle qui sera dans l'office[10], aussi bien que les autres sœurs, soit soucieuse et prévoyante, afin qu'autour du lieu susdit, elles n'acquièrent ou ne reçoivent de terre, sinon autant que l'exige l'extrême nécessité pour un jardin à culture de légumes. (54) Et si de quelque part, pour l'honnêteté[11] et le retrait du monastère, il fallait avoir plus de terre hors de l'enceinte du jardin, qu'elles ne permettent pas que soit acquis ni même qu'elles ne reçoivent pas plus, sinon autant que l'exige l'extrême nécessité. (55) Et que cette terre ne soit absolument pas travaillée ni semée, mais qu'elle demeure toujours en friche[12] et inculte.

(56) J'avertis et j'exhorte dans le Seigneur Jésus-Christ toutes mes sœurs, qui sont et qui viendront, à toujours s'appliquer à imiter la voie de la sainte simplicité, de l'humilité, de la pauvreté et aussi l'honnêteté[13] d'une sainte conduite, (57) comme dès le commencement de notre conversion nous l'ont enseigné

9. De fait, en 1257, soit quatre ans après la mort de Claire, les Sœurs Pauvres quittèrent Saint-Damien et s'installèrent à l'emplacement de l'ancienne église Saint-Georges, là où se trouvent actuellement la basilique Sainte-Claire et le protomonastère.
10. C'est-à-dire l'abbesse. Il est remarquable que Claire n'utilise pas une seule fois le mot dans tout son testament.
11. Cf. *1 LAg* 3.
12. Litt. « solide ».
13. Cf. *1 LAg* 3.

Christo edoctae sumus et a beatissimo patre nostro beato Francisco. (58) Ex quibus, non nostris meritis, sed sola misericordia et gratia largitoris, ipse *Pater misericordiarum*, tam his qui longe sunt quam his qui prope sunt, bonae famae sparsit *odorem*. (59) Et ex caritate Christi invicem diligentes, amorem, quem intus habetis, foris per opera demonstretis, (60) ut ex hoc exemplo provocatae sorores semper crescant in amorem Dei et in mutuam caritatem.

(61) Rogo etiam illam quae erit in officio sororum, *UT MAGIS STUDEAT PRAEESSE ALIIS VIRTUTIBUS ET SANCTIS MORIBUS QUAM OFFICIO*, (62) quatenus *EIUS EXEMPLO PROVOCATAE SORORES* suae, non tantum ex officio *OBEDIANT*, sed *POTIUS EX AMORE*. (63) Sit etiam provida et discreta circa sorores suas, sicut bona mater ergo filias suas, (64) et praecipue ut DE ELEEMOSYNIS QUAS DOMINUS DABIT, eis secundum necessitatem uniuscuiusque studeat providere. (65) Sit etiam tam benigna et communis, ut SECURE possint MANIFESTARE NECESSITATES SUAS (66) et recurrere ad eam omni hora confidenter, sicut eis videbitur expedire, tam pro se quam pro sororibus suis.

(67) Sorores VERO QUAE SUNT SUBDITAE RECORDENTUR QUOD PROPTER DEUM ABNEGAVERUNT PROPRIAS VOLUNTATES. (68) Unde volo quod obediant suae matri, sicut promiserunt Domino, sua spontanea voluntate, (69) ut mater earum videns caritatem, humili-

---

beato *om. Ma Ur Wa* || 58 largitoris *Up Ur Wa*: largitatis *M Ma* | qui[1]: quae *Wa* | quam: tam *M* | qui[2]: quae *Wa* | sunt[2] *om. Ur Wa* | sparsit odorem *M Up Ur*: semper sit adorem *Ma* semper sint in odorem *Wa* || 60 mutua caritate *Wa* || 62 quatenus: ita quod *Up* | suae *om. Ur Wa* | obediant *M Ma Up*: ei obediant *Ur Wa* || 64 ut *om. Ur Wa* | eleemosynis: iis *Wa* || 65 possint: sorores possint *Ur* | manifestare: ei *add. Ur* | suas *om. Ma* || 66 et: audeant *add. Ma* || 67 Deum: Dominum *Wa* || 68 quod: ut *Ur*

le Christ et notre très bienheureux père le bienheureux
François. (58) Par cela, non pas à cause de nos mérites,
mais par la seule miséricorde et la grâce du donateur, le
Père des miséricordes lui-même répandit une odeur de
bonne renommée, tant pour ceux qui sont loin que pour
ceux qui sont proches. (59) Et vous aimant les unes les
autres de la charité du Christ, l'amour que vous avez
au-dedans, montrez-le au-dehors par des actes, (60) afin
que, provoquées par cet exemple, les sœurs croissent
toujours dans l'amour de Dieu et la charité mutuelle.

(61) Je prie aussi celle qui sera dans l'office des sœurs
de s'appliquer à être devant les autres par ses vertus et
ses saintes mœurs plus que par son office, (62) de telle
façon que les sœurs, provoquées par son exemple,
n'obéissent pas tant à cause de son office, mais plutôt
par amour. (63) Qu'elle soit aussi prévoyante et
discrète [14] envers ses sœurs, comme une bonne mère à
l'égard de ses filles, (64) et en particulier qu'avec les
aumônes que le Seigneur donnera, elle s'applique à les
pourvoir, chacune selon sa nécessité. (65) Qu'elle soit
aussi tellement bienveillante et accessible qu'elles puissent avec assurance manifester leurs nécessités (66) et
recourir à elle à toute heure avec confiance, comme il
leur semblera expédient, tant pour elles que pour leurs
sœurs.

(67) Quant aux sœurs qui sont sujettes, qu'elles se
rappellent que, pour Dieu, elles ont renoncé à leurs
volontés propres. (68) Aussi je veux qu'elles obéissent à
leur mère, comme elles l'ont promis au Seigneur, d'une
volonté spontanée, (69) afin que leur mère, voyant la

14. Cf. *3 LAg* 31.

58. 2 Co 1, 3 ; cf. 2 Co 2, 15 | 59. cf. Jc 2, 18 | 61-62. RegCl 4, 9 |
64. ExhPD 4 | 65. 2 Reg 6, 8 ; RegCl 8, 15 | 67. 2 Reg 10, 2 ; RegCl
10, 2

tatem et unitatem quam invicem habent, omne onus quod de officio tolerat, levius portet, (70) et quod molestum est et amarum, propter earum sanctam conversationem, ei in dulcedinem convertatur.

(71) Et quoniam *arcta est via* et semita, *et angusta est porta* per quam itur et intratur *ad vitam, et pauci sunt qui* ambulant et intrant per *eam*. (72) Et si aliqui sunt qui ad tempus ambulant per eam, paucissimi sunt qui perseverant in ea. (73) Beati vero quibus datum est *ambulare* per eam et *perseverare usque in finem*.

(74) Caveamus ergo, quod si per viam Domini intravimus, quod culpa nostra et ignorantia, aliquo tempore ab ipsa nullatenus declinemus, (75) ne tanto Domino et suae Virgini matri et patri nostro beato Francisco, Ecclesiae triumphanti et etiam militanti iniuriam deferamus. (76) Scriptum est enim: *Maledicti qui declinant a mandatis tuis*.

(77) *Huius rei gratia flecto genua mea ad Patrem Domini nostri Jesu Christi*, suffragantibus meritis gloriosae Virginis sanctae Mariae matris eius et beatissimi patris nostri Francisci et omnium sanctorum, (78) ut ipse Dominus, qui dedit bonum principium, *det incrementum*, det etiam finalem perseverantiam. Amen.

69 unitatem: veritatem *Ur* | quam: quas *Wa* | de *M Ma*: om. *Up* ex *Ur Wa* || 70 earum sanctam *M Ma Up*: sanctam earum *Ur Wa* || 71 et[5] om. *Wa* || 73 Beati: Sancti *M* || 74 quod[1] om. *Ma* | culpa — ignorantia: culpa nostra, negligentia et ignorantia *Wa* | nullatenus: ullatenus *Up Ur* || 75 matri Virgini *Wa* | Ecclesiae *M Ma Up*: et Ecclesiae *Ur Wa* || 77 Huius *Up Ur Wa*: Huiusmodi *M Ma* | sanctae om. *Ur* | nostri[2]: sancti add. *M Ma* || 78 etiam: semper add. *Up Wa* | Amen om. *M Ma*

70. Test 3 | 71. cf. Mt 7, 14 | 73. cf. Ps 118, 1; cf. Mt 10, 22 | 76. Ps 118, 21 | 77. Eph 3, 14 | 78. cf. 2 Co 8, 6.11; cf. 1 Co 3, 6-7.

charité, l'humilité et l'unité qu'elles ont entre elles, porte plus légèrement tout le fardeau qu'elle supporte en raison de son office, (70) et que ce qui est pénible et amer, à cause de leur sainte conduite, soit pour elle changé en douceur.

(71) Et parce que resserrés sont la voie et le sentier et qu'étroite est la porte par laquelle on va et on entre dans la vie, peu nombreux sont ceux qui marchent et entrent par elle. (72) Et s'ils sont quelques-uns qui pour un temps y marchent, très peu sont ceux qui y persévèrent. (73) Mais ils sont bienheureux ceux à qui il fut donné d'y marcher et de persévérer jusqu'à la fin.

(74) Prenons donc garde, si nous sommes entrées dans la voie du Seigneur, à nous en écarter en aucune façon en aucun temps, par notre faute et par ignorance, (75) afin de ne pas faire injure à un tel Seigneur, à la Vierge sa mère, à notre père bienheureux, François, à l'Église triomphante et même militante. (76) Il est écrit en effet : Maudits ceux qui s'écartent de tes commandements.

(77) C'est pourquoi je fléchis les genoux devant le Père de notre Seigneur Jésus-Christ, afin que par l'appui [15] des mérites de la glorieuse Vierge sainte Marie, sa mère, de notre très bienheureux père François et de tous les saints, (78) le Seigneur lui-même, qui a donné un bon commencement, donne l'accroissement, donne aussi la persévérance finale. Amen.

15. Litt. « suffrage ».

(79) Hoc scriptum, ut melius debeat observari, relinquo vobis, carissimis et dilectis sororibus meis, praesentibus et venturis, in signum benedictionis Domini et beatissimi patris nostri Francisci et benedictionis meae, matris et ancillae vestrae.

---

79 observari: perseverari *Up* | dilectis *M Ma Up*: dilectissimis *Ur Wa* | venturis *M Up Ur*: futuris *Ma Wa* | nostri: sancti *add. M Ma* | Explicit testamentum beatae Clarae *add. M Ma Up* Amen *add. Ur*.

(79) Cet écrit, pour qu'il soit mieux observé, je vous le laisse à vous, mes sœurs très chères et bien-aimées, présentes et à venir, en signe de la bénédiction du Seigneur et de notre très bienheureux père François et de ma bénédiction à moi, votre mère et votre servante.

BENEDICTIO

(1) *In nomine Patris et Filii et Spiritus Sancti.*
(2) *Benedicat* vobis *Dominus*
et custodiat vos.
(3) *Ostendat faciem suam* vobis
et misereatur vestri.
(4) *Convertat vultum suum ad* vos
et det vobis *pacem,*
sororibus et filiabus meis, (5) et omnibus aliis venturis
et permansuris in vestro collegio et ceteris aliis tam
praesentibus quam venturis, quae finaliter perseverave-
rint in omnibus aliis monasteriis pauperum dominarum.

(6) Ego Clara, ancilla Christi, plantula beatissimi
patris nostri sancti Francisci, soror et mater vestra et
aliarum sororum pauperum, licet indigna, (7) rogo
Dominum nostrum Jesum Christum per misericordiam
suam et intercessionem sanctissimae suae genitricis
sanctae Mariae et beati Michaëlis archangeli et omnium
sanctorum angelorum Dei, beati Francisci patris nostri
et omnium sanctorum et sanctarum, (8) ut ipse Pater

Tit. Benedictio: Incipit benedictio eiusdem sanctae Clarae sororibus suis praesentibus et venturis *M Up* Incipit benedictio eiusdem
quam dedit suis sororibus praesentibus et futuris *Ma* ‖ 1 Sancti:
Amen *add. Up* ‖ 5 venturis[2]: futuris *Ma Up* ‖ 6 sancti *om. Ma* ‖ 7
angelorum: et sanctarum *Ma* │ Dei: et *add. Ma*

1. cf. Mt 28, 19 │ 2-4. BLéon 1-2; cf. Nb 6, 24-26 │ 5. cf. Mt 10,
22

BÉNÉDICTION

(1) Au nom du Père et du Fils et du Saint-Esprit.

(2) Que le Seigneur vous bénisse
et vous garde.

(3) Qu'il vous montre sa face
et qu'il vous fasse miséricorde.

(4) Qu'il tourne son visage vers vous
et vous donne la paix,
à vous mes sœurs et mes filles, (5) et à toutes les autres
qui vont venir et demeurer dans votre communauté[1], et
aux autres encore, tant présentes qu'à venir, qui
persévéreront jusqu'à la fin dans tous les autres monastères de Pauvres Dames.

(6) Moi, Claire, servante du Christ, petite plante de
notre très bienheureux père saint François, votre sœur
et mère et celle des autres Sœurs Pauvres, quoique
indigne, (7) je prie notre Seigneur Jésus-Christ, par sa
miséricorde et par l'intercession de sa très sainte mère
sainte Marie et du bienheureux Michel archange et de
tous les saints anges de Dieu, du bienheureux François
notre père et de tous les saints et saintes, (8) que le

---

1. Litt. « collège ».

caelestis det vobis et confirmet istam sanctissimam suam
benedictionem in *caelo* et in *terra*: (9) in terra,
multiplicando vos in gratia et in virtutibus suis inter
servos et ancillas suas in Ecclesia sua militanti; (10) et
in caelo, exaltando vos et glorificando in Ecclesia
triumphanti inter sanctos et sanctas suas.

(11) Benedico vos in vita mea et post mortem meam,
sicut possum, de omnibus benedictionibus, (12) quibus
Pater misericordiarum filiis et filiabus *benedixit* et benedicet *in caelo* et in terra, (13) et pater et mater
spiritualis filiis suis et filiabus spiritualibus et benedixit
et benedicet. Amen.

(14) Estote semper amatrices animarum vestrarum et
omnium sororum vestrarum, (15) et sitis semper sollicitae observare quae Domino promisistis.

(16) Dominus *vobiscum* sit semper et utinam vos sitis
semper cum ipso. Amen.

8 det: de *Up* | in² *om. M*|| 9 sua *om. Up* || 10 et glorificando *om.*
Up || 11 possum: et plus quam possum *add. Up* || 12 Pater *om. Ma* ||
13 filiis — spiritualibus: filiis et filiabus suis spiritualibus *Up* || 14
amatrices: Dei *add. Up* || 16 utinam *Up*: nunc *M Ma* | semper² *om.*
Ma | Explicit testamentum *(sic!) add. M* Explicit benedictio sanctae
Clarae *add. Up*.

8. cf. Gn 27, 28 | 12. 2 Co 1, 3; cf. Eph 1, 3 | 16. cf. 2 Co 13, 11;
cf. Jn 12, 26; cf. 1 Th 4, 17.

Père céleste lui-même vous donne et vous confirme sa très sainte bénédiction au ciel et sur la terre : (9) sur la terre, en vous multipliant dans sa grâce et ses vertus, parmi ses serviteurs et ses servantes dans son Église militante ; (10) et au ciel, en vous exaltant et en vous glorifiant dans l'Église triomphante parmi ses saints et ses saintes.

(11) Je vous bénis durant ma vie et après ma mort, comme je le puis, de toutes les bénédictions, (12) dont le Père des miséricordes a béni et bénira ses fils et filles au ciel et sur la terre, (13) et dont un père et une mère spirituelle a béni et bénira ses fils et filles spirituelles. Amen.

(14) Soyez toujours des amantes de vos âmes et de toutes vos sœurs, (15) et soyez toujours soucieuses d'observer ce que vous avez promis au Seigneur.

(16) Que le Seigneur soit toujours avec vous et puissiez-vous être toujours avec lui. Amen.

APPENDICES

EPISTOLA AD ERMENTRUDEM

(1) Ermentrudi sorori carissimae Clara Assisias humilis
ancilla Jesu Christi, salutem et pacem.

(2) Novi te, o carissima soror, mundi e caeno, opitulante
gratia Dei, feliciter aufugisse; (3) quamobrem gaudeo et
congratulor tibi ac iterum gaudeo te semitas virtutis cum tuis
filiabus strenue calcare.

(4) Esto, carissima, fidelis ei
cui promisisti usque ad mortem,
ab eodem enim *coronaberis* laurea *vitae*.

(5) Brevis est *labor* hic noster,
at *merces* aeterna;
non te confundant strepitus *mundi*
fugientis ut umbra;

(6) saeculi fallacis non te dementent inania spectra;
ad sibila inferni aures obtura
et eius conatus fortis infringe;

(7) adversa mala libenter sustine
et prospera bona non te extollant:
haec enim fidem exposcunt et illa exigunt;

(8) quae *Deo vovisti* fideliter *redde*
et ipse retribuet.

4. cf. Jc 1, 12 | 5. cf. Sg 10, 17; cf. Si 18, 22; cf. Jb 14, 2 | 8. cf.
Ps 75, 12

LETTRE À ERMENTRUDE

(1) À Ermentrude, sœur très chère, Claire d'Assise, humble servante de Jésus-Christ, salut et paix.

(2) J'ai appris, ô très chère sœur, qu'avec l'appui de la grâce de Dieu, tu as heureusement fui la boue du monde ; (3) c'est pourquoi je me réjouis et te félicite, et je me réjouis encore parce qu'avec tes filles tu marches vivement sur les sentiers de la vertu.

(4) Sois, très chère, fidèle jusqu'à la mort
à celui à qui tu as fait des promesses,
par celui-là même, en effet, tu seras couronnée
du laurier de la vie.

(5) Bref est ici notre labeur,
mais la récompense éternelle ;
que ne te confondent pas les bruits du monde
qui fuit comme l'ombre ;

(6) que ne te fassent perdre la raison
les vains spectres du siècle trompeur ;
aux sifflements de l'enfer bouche tes oreilles
et forte, brise ses efforts ;

(7) supporte volontiers les maux adverses
et que les biens prospères ne t'élèvent pas :
ceux-ci, en effet, demandent la foi
et ceux-là l'exigent ;

(8) ce que tu as voué à Dieu, rends-le fidèlement
et lui te rétribuera.

194 APPENDICES

(9) O carissima, caelum suspice
quod nos invitat,
ac *tolle crucem* et *sequere* Christum
qui nos praecedit;

(10) etenim post varias et *multas tribulationes*
per ipsum *intrabimus in gloriam suam.*

(11) *Ama ex totis* praecordiis *Deum*
et *Jesum,* Filium eius,
pro nobis peccatoribus crucifixum,
nec de tua mente unquam excidat eius memoria;

(12) fac mediteris iugiter mysteria crucis
angoresque *matris* sub *cruce stantis.*

(13) *Ora et vigila* semper.

(14) Et *opus* quod bene coepisti instanter *consumma*
et *ministerium* quod assumpsisti
in paupertate sancta
et humilitate sincera *adimple.*

(15) Noli pavere, filia,
fidelis Deus *in omnibus verbis suis*
et sanctus in omnibus operibus suis
effundet super te et super filias tuas
benedictionem suam;

(16) et erit auxiliator vester et consolator optimus;
redemptor noster est et merces aeterna.

(17) *Oremus* Deum *invicem pro* nobis,
sic enim *altera alterius onus* caritatis ferentes
leviter *adimplebimus legem Christi.*
Amen.

9. cf. Lc 9, 23 | 10. cf. Ac 14, 22; cf. Lc 24, 26 | 11. cf. Dt 6, 5;
cf. Dt 11, 1; cf. Lc 10, 27; cf. 1 Co 16, 22 | 12. cf. Jn 19, 25 | 13. cf.
Mt 26, 41 | 13-14. cf. 2 Tm 4, 5 | 15. Ps 144, 13 | 16. cf. Gn 15, 1 |
17. Jc 5, 16; Ga 6, 2.

(9) Ô très chère, regarde vers le ciel
qui nous invite,
et prends la croix et suis le Christ
qui nous précède ;

(10) en effet, après les diverses et nombreuses tribulations
par lui nous entrerons dans sa gloire.

(11) Aime de toutes tes entrailles Dieu
et Jésus, son Fils,
pour nous pécheurs crucifié,
et que jamais de ton esprit ne sorte sa mémoire ;

(12) fais en sorte de méditer continuellement
les mystères de la croix
et les tourments de sa mère se tenant sous la croix.

(13) Prie et veille toujours.

(14) Et l'œuvre que tu as bien commencée,
achève-la avec insistance,
et le ministère que tu as assumé,
accomplis-le dans la sainte pauvreté
et l'humilité sincère.

(15) Ne crains pas, fille,
fidèle est Dieu en toutes ses paroles
et saint en toutes ses œuvres,
il répandra sa bénédiction
sur toi et sur tes filles ;

(16) et il sera votre aide et votre meilleur consolateur ;
il est notre rédempteur et notre récompense éternelle.

(17) Prions Dieu l'une pour l'autre,
ainsi, en effet, portant chacune le fardeau
de la charité de l'autre,
nous accomplirons facilement la loi du Christ.
Amen.

PRIVILEGIUM PAUPERTATIS
(1216)

(1) Innocentius, episcopus, servus servorum Dei, dilectis in Christi filiabus Clarae ac aliis Christi ancillis ecclesiae Sancti Damiani Assisinatensis, tam praesentibus quam futuris regularem vitam professis, in perpetuum.

(2) Sicut manifestum est, cupientes soli Domino dedicari, abdicastis rerum temporalium appetitum; (3) propter quod, *venditis omnibus et pauperibus* erogatis, nullas omnino possessiones habere proponitis, illius *vestigiis* per omnia inhaerentes, qui pro nobis factus est pauper, *via, veritas* atque *vita;* (4) nec ab huiusmodi proposito rerum vos terret inopia; (5) nam *laeva* sponsi caelestis est *sub capite* vestro ad sustentandum infirma corporis vestri, quae legi mentis ordinata caritate stravistis. (6) Denique qui *pascit* aves *caeli* et *lilia* vestit *agri,* vobis non deerit ad victum pariter et vestitum, donec seipsum vobis *transiens* in aeternitate *ministret,* cum scilicet eius *dextera* vos felicius *amplexabitur* in suae plenitudine visionis. (7) Sicut ergo supplicastis, *altissimae paupertatis* propositum vestrum favore apostolico roboramus, auctoritate vobis praesentium indulgentes, ut recipere possessiones a nullo compelli possitis.

Tit. Privilegium paupertatis: Privilegium domini Innocentii quod sorores sanctae Clarae non possunt cogi ad possessiones accipiendas *M Up* | 1 Innocentius *om. Ma* | 2 Sicut *om. Ma* | 3 omnino *om. M Ma* | proponitis: promonitis *Ma* | pro nobis: propter nos *Ma* | 5 est *om. Up* | 6 agri *om. Ma* | vobis non deerit *om. Up* | victum: vitam *Ma*

---

3. cf. Lc 18, 22; cf. 1 P 2, 21; cf. 2 Co 8, 9; cf. Jn 14, 6 | 5-6 cf. Ct 2, 6; 8, 3 | 6. cf. Mt 6, 26-28; cf. Lc 12, 37 | 7. cf. 2 Co 8, 2.

PRIVILÈGE DE LA PAUVRETÉ
(1216)

(1) Innocent, évêque, serviteur des serviteurs de Dieu, aux filles bien-aimées en Christ, Claire et les autres servantes du Christ de l'église de Saint-Damien d'Assise, tant présentes que futures, qui ont professé la vie régulière, pour perpétuelle mémoire.

(2) Comme il est manifeste, désirant vous consacrer au seul Seigneur, vous avez abdiqué l'appétit des choses temporelles ; (3) c'est pourquoi, après avoir tout vendu et distribué aux pauvres, vous vous proposez de n'avoir absolument aucune possession, vous attachant en tout aux traces de celui qui pour nous s'est fait le pauvre, la voie, la vérité et la vie ; (4) et le manque de biens ne vous détourne pas d'un propos de ce genre ; (5) car la gauche de l'époux céleste est sous votre tête pour soutenir les infirmités de votre corps, que vous avez soumises à la loi de l'esprit par une charité ordonnée. (6) Pour sûr, celui qui nourrit les oiseaux du ciel et revêt les lis des champs, ne vous fera également pas défaut pour votre nourriture et votre vêtement, jusqu'à ce que, passant au milieu de vous, il se serve lui-même à vous dans l'éternité, c'est-à-dire lorsque sa droite vous embrassera plus heureusement dans la plénitude de sa vision. (7) Aussi, comme vous nous en avez supplié, nous confirmons par faveur apostolique votre propos de très haute pauvreté, en vous accordant par l'autorité de la présente de ne pouvoir être forcées par personne à recevoir des possessions.

(8) Et si qua mulier nollet aut non posset observare huiusmodi propositum, vobiscum non habeat mansionem, sed ad locum alium transferatur.

(9) Decernimus ergo ut nulli omnino hominum liceat vos et ecclesiam vestram perturbare temere seu quibuslibet vexationibus fatigare. (10) Si qua igitur in futurum ecclesiastica saecularisve persona, hanc nostrae confirmationis et constitutionis paginam sciens, venire contra eam temere temptaverit, secundo tertiove commonita, nisi reatum suum congrua satisfactione correxerit, potestatis honorisque sui dignitate careat reamque se divino iudicio exsistere de perpetrata iniquitate cognoscat et a sacratissimo corpore et sanguine Dei et Domini Redemptoris nostri Jesu Christi aliena fiat atque in extremo examine districte subiaceat ultioni. (11) Cunctis autem vobis et eidem loco dilectionem in Christo servantibus sit pax Domini nostri Jesu Christi, quatenus et hic fructum bonae actionis percipiant et apud districtum iudicem praemia aeternae pacis inveniant. Amen.

8 observare — propositum : huiusmodi propositum observare *Up* | 9 vexationibus : fatigationibus *Ma* | 10 persona : prima *Ma* | venire — temptaverit : contra eam temere venire temptaverit *Up* | sui : suis *Ma* | et[3] : ac *Up* | 11 eidem : idem *Ma* | percipiant : percipiatis *Ma* | Explicit privilegium domini Innocentii *add. Up.*

(8) Et si une femme ne voulait ou ne pouvait observer un propos de ce genre, qu'elle n'ait pas sa demeure avec vous, mais qu'elle soit transférée à un autre lieu.

(9) Aussi nous décrétons qu'il ne soit permis à absolument aucun homme de vous troubler témérairement, vous et votre église, ou de vous importuner par quelque vexation que ce soit. (10) Si donc dans le futur une personne ecclésiastique ou séculière, connaissant cette page de notre confirmation et de notre constitution, tentait témérairement d'y contrevenir, et si, après avoir été avertie une deuxième et une troisième fois, elle ne corrigeait pas sa faute en donnant la satisfaction congrue, qu'elle soit privée de la dignité de son pouvoir et de sa charge, qu'elle sache qu'elle est passible du jugement divin pour l'iniquité perpétrée, qu'elle soit éloignée du très saint corps et du très saint sang de Dieu et du Seigneur Jésus-Christ, notre Rédempteur, et qu'au jugement dernier elle soit sévèrement soumise au châtiment. (11) Que la paix de notre Seigneur Jésus-Christ soit avec vous toutes et avec celles qui dans ce même lieu conservent l'amour dans le Christ, si bien que là aussi elles reçoivent le fruit de leur bonne action et qu'auprès du juge sévère elles trouvent la récompense de la paix éternelle. Amen [1].

1. Manquent le lieu et la date.

PRIVILEGIUM PAUPERTATIS
(1228)

(1) Gregorius, episcopus, servus servorum Dei, dilectis in Christo filiabus Clarae ac aliis ancillis Christi in ecclesia Sancti Damiani episcopatus Assisii congregatis, salutem et apostolicam benedictionem.

(2) Sicut manifestum est, cupientes soli Domino dedicari, abdicastis rerum temporalium appetitum; (3) propter quod, *venditis omnibus et pauperibus* erogatis, nullas omnino possessiones habere proponitis, illius *vestigiis* per omnia inhaerentes, qui pro nobis factus est pauper, *via, veritas* atque *vita*; (4) nec ab huiusmodi proposito vos rerum terret inopia; (5) nam *laeva* sponsi caelestis est *sub capite* vestro ad sustentandum infirma corporis vestri, quae legi mentis ordinata caritate stravistis. (6) Denique qui *pascit* aves *caeli* et *lilia* vestit *agri*, vobis non deerit ad victum pariter et vestitum, donec seipsum vobis *transiens* in aeternitate *ministret*, cum scilicet eius *dextera* vos felicius *amplexabitur* in suae plenitudine visionis. (7) Sicut igitur supplicastis, *altissimae paupertatis* propositum vestrum favore apostolico roboramus, auctoritate vobis praesentium indulgentes, ut recipere possessiones a nullo compelli possitis.

(8) Nulli ergo omnino hominum liceat hanc paginam nostrae concessionis infringere vel ei ausu temerario contraire. (9) Si quis autem hoc attentare praesumpserit, indignationem omnipotentis Dei et beatorum Petri et Pauli apostolorum eius se noverit incursurum. (10) Datum Perusii, XV kalendas octobris, pontificatus nostri anno secundo.

3. cf. Lc 18, 22; cf. 1 P 2, 21; cf. 2 Co 8, 9; cf. Jn 14, 6 | 5-6. cf. Ct 2, 6; 8, 3 | 6. cf. Mt 6, 26-28; cf Lc 12, 37 | 7. cf. 2 Co 8, 2.

PRIVILÈGE DE LA PAUVRETÉ
(1228)

(1) Grégoire, évêque, serviteur des serviteurs de Dieu, aux filles bien-aimées en Christ, Claire et les autres servantes du Christ réunies dans l'église de Saint-Damien de l'évêché d'Assise, salut et bénédiction apostolique.

(2) Comme il est manifeste, désirant vous consacrer au seul Seigneur, vous avez abdiqué l'appétit des choses temporelles ; (3) c'est pourquoi, après avoir tout vendu et distribué aux pauvres, vous vous proposez de n'avoir absolument aucune possession, vous attachant en tout aux traces de celui qui pour nous s'est fait le pauvre, la voie, la vérité et la vie ; (4) et le manque de biens ne vous détourne pas d'un propos de ce genre ; (5) car la gauche de l'époux céleste est sous votre tête pour soutenir les infirmités de votre corps, que vous avez soumises à la loi de l'esprit par une charité ordonnée. (6) Pour sûr, celui qui nourrit les oiseaux du ciel et revêt les lis des champs, ne vous fera également pas défaut pour votre nourriture et votre vêtement, jusqu'à ce que, passant au milieu de vous, il se serve lui-même à vous dans l'éternité, c'est-à-dire lorsque sa droite vous embrassera plus heureusement dans la plénitude de sa vision. (7) Aussi, comme vous nous en avez supplié, nous confirmons par faveur apostolique votre propos de très haute pauvreté, en vous accordant par l'autorité de la présente de ne pouvoir être forcées par personne à recevoir des possessions.

(8) Qu'il ne soit donc permis absolument à aucun homme d'enfreindre cette page de notre concession ou d'y contrevenir par une audace téméraire. (9) Si quelqu'un avait la présomption de le tenter, qu'il sache qu'il encourra l'indignation de Dieu tout-puissant et de ses bienheureux apôtres Pierre et Paul. (10) Donné à Pérouse, le quinze des calendes d'octobre, la deuxième année de notre pontificat [1].

1. C'est-à-dire le 17 septembre 1228.

INDEX

I. INDEX DES CITATIONS SCRIPTURAIRES

Philippiens

1, 8	1 LAg 31.
3, 14	3 LAg 3 ;
	TestCl 23.
4, 1	3 LAg 11.
4, 3	2 LAg 22.
4, 4	3 LAg 10.
4, 8-9	3 LAg 2.

Colossiens

1, 13	1 LAg 14.
1, 23	RegCl, 12, 13.
3, 14	RegCl, 10, 7.
3, 17	TestCl 1.
4, 6	3 LAg 41.

I Thessaloniciens

1, 6	4 LAg 7.
1, 8	1 LAg 3.
2, 7	RegCl 8, 16.
4, 17	BCl 16.
5, 19	RegCl 7, 2.
5, 25	1 LAg 35 ;
	4 LAg 39.

I Timothée

3, 15	TestCl 38.
4, 12	TestCl 5.
6, 15	2 LAg 1.

II Timothée

2, 11-12	2 LAg 21.
4, 5	LEr 13-14.

Tite

2, 13	4 LAg 39.

Hébreux

1, 3	3 LAg 12-13 ;
	4 LAg 14.
2, 10	3 LAg 2.
12, 2	1 LAg 14.
13, 17	RegCl 4, 8.

Jacques

1, 12	LEr 4.
1, 17	2 LAg 3.
2, 5	RegCl 8, 4.
2, 18	TestCl 59.
5, 16	LEr 17.

I Pierre

1, 12	4 LAg 10.
1, 19	4 LAg 8.
2, 11	RegCl 8, 2.
2, 21	2 LAg 7 ;
	3 LAg 25 ;
	RegCl Prol. ;
	TestCl 36 ;
	1 PrivP 3 ;
	2 PrivP 3.

II Pierre

1, 10	TestCl 16.

Apocalypse

3, 5	2 LAg 22.
14, 3-4	4 LAg 3.
19, 9	4 LAg 9.
19, 16	2 LAg 1.
21, 2.10	4 LAg 13.

II. INDEX DES CITATIONS LITURGIQUES

III. INDEX DES CITATIONS
D'AUTEURS ECCLÉSIASTIQUES

AMBROISE (Pseudo-), *Epist.* I *(Virginibus sacris)* (*PL* 17, c. 736 A-C):
1 LAg 9-10; 4 LAg 13.

BENOÎT, *Règle* 3, 3: RegCl 4, 18; 33, 2.5: RegCl 8, 8-9; 45, 1:
RegCl 9, 3; 54, 1: RegCl 8, 7; 54, 2-3: RegCl 8, 9; 64, 7-8.15:
RegCl 4, 8-9; 67, 5: RegCl 9, 15.

GRÉGOIRE LE GRAND, *Dialogi*, Prol. (*PL* 77, c. 152 A): 2 LAg 12. —
hom. in ev. XXXII, 2 (*PL* 76, c. 1233 B): 1 LAg 27.

GRÉGOIRE IX, Bulle *Licet velut ignis* (*Bullarium Franciscanum* I,
p. 209): 3 LAg 31.
— Bulle *Pia credulitate tenentes* (*Bullarium Franciscanum* I, p. 236):
4 LAg 19.

HUGOLIN, *Règle* 4: RegCl 2, 5; 6: RegCl 5, 8 & 8, 21; 7: RegCl 3,
8.10; 8: RegCl 8, 12.17-18; 10: RegCl 11, 7.9; 11: RegCl 5, 9-13
& 12, 11; 12: RegCl 12, 2-3; 13: RegCl 11, 1-3.5-6.10-12.

INNOCENT IV, *Règle* 1: RegCl 2, 19-20; 2: RegCl 3,1; 8: RegCl 12,
1; 9: RegCl 5, 15; 10: RegCl 9, 12.

LÉON LE GRAND, *Sermo XXI in Nativitate Domini*, 3 (*PL* 54, c. 192
C): TestCl 4.

211

IV. INDEX DES CITATIONS D'AUTEURS FRANCISCAINS

FRANÇOIS d'Assise,
Regula non bullata 2,1 : RegCl 2,1 ; 2, 3 : RegCl 2, 7.
Regula Bullata 1, 1-2 : RegCl 1, 2-3 ; 1, 3 : RegCl 1, 5 ; 2, 1-9 : RegCl
   2, 1.3-11 ; 2, 11 : RegCl 2, 13 ; 2, 12 : RegCl 2, 12 ; 2, 15-16 : RegCl
   2, 22.24 ; 3, 1-3 : RegCl 3, 1-2.4 ; 3, 9 : RegCl 3, 11 ; 4, 1 : RegCl 6,
   12 ; 4, 2 : RegCl 2, 16 ; 5, 1-2 : RegCl 7, 1-2 ; 6, 1-6 : RegCl 8, 1-6 ;
   6, 8 : RegCl 8, 15-16 & TestCl 65 ; 6, 9 : RegCl 8, 14 ; 7, 1 : RegCl
   9, 1 ; 7, 2 : RegCl 9, 17 ; 7, 3 : RegCl 9, 5 ; 8, 2 : RegCl 4, 6 ; 8, 4 :
   RegCl 4, 3.7 & 7, 1.5 ; 8, 5 : RegCl 4, 15 ; 10, 1-3 : RegCl 10, 1-3
   & TestCl 67 ; 10, 5-6 : RegCl 10, 4-5 ; 10, 7-12 : RegCl 10, 6.8-13 &
   TesCl 56 ; 11, 1.3 : RegCl 9, 13-14 ; 12, 3-4 : RegCl 12, 12-13.
Testament 3 : TestCl 70 ; 20 : RegCl 7, 1.
Forme de Vie 1-2 : RegCl 6, 3-4.
Dernière Volonté 1-3 : RegCl 6, 7-9.
Lettre aux Fidèles II 49-50 : 1 LAg 12 & 4 LAg 4.
Bénédiction à Frère Léon 1-2 : BCl 2-4.
Exhortation aux Pauvres Dames 4 : TestCl 64.

Legenda Trium Sociorum 24 : TestCl 12-13

THOMAS de Celano, *Vita IIa sancti Francisci*, n. 185 : RegCl 4, 10-12 ;
   n. 204 : RegCl 1, 5.

V. INDEX ANALYTIQUE

Allégresse

— de François : TestCl 11.
— souhaitée à Agnès : 1 LAg 21.

Aimé

— frère : 4 LAg 40.

Âme

4 LAg 1.4.26 ; RegCl 3, 13 ; 12, 10 ; BCl 14.
— demeure de Dieu : 3 LAg 21-22.
— ne rien prescrire qui lui soit contraire : RegCl 10, 1.3.
— l'oisiveté est son ennemie : RegCl 7, 2.

Amertume

3 LAg 11 ; TestCl 70.

Amour

— aimer Dieu et son Fils : 2 LAg 10 ; 3 LAg 14-15.23 ; 4 LAg 1.29 ; RegCl 2, 24 ; TestCl 46.60 ; LEr 11.
— amour de Dieu : 3 LAg 15.23 ; rend chaste : 1 LAg 8 ; rend suave : 1 LAg 9.
— amour mutuel des sœurs : RegCl Prol. ; 4, 22 ; 8, 16 ; 10, 7 ; TestCl 59 ; BCl 14.
— de Claire pour Agnès de Prague : 1 LAg 12 ; 2 LAg 24 ; 3 LAg 1.10-11.40 ; 4 LAg 1.5.34-37.39.
  pour des frères : 4 LAg 40.
  pour ses sœurs : RegCl 8, 4.6 ; TestCl 6.79.
  pour Ermentrude : LEr 1-2.4.9.
— de François pour Dieu : TestCl 5.7.
— aimer l'honnêteté : RegCl 12,5.
— aimer ceux qui nous persécutent : RegCl 10, 11.
— aimer le conseil d'Élie : 2 LAg 16.
— obéir par amour : RegCl 4,9 ; TestCl 62.
— rejeter les amours particuliers : RegCl 4, 10.
— aimer la pauvreté : 1 LAg 15 ; RegCl 6, 8 ; TestCl 34-35.
— on ne peut aimer Dieu et l'argent : 1 LAg 25-26.
— s'aimer soi-même : BCl 14.

Anges

3 LAg 11 ; 4 LAg 21 ; BCl 7.

Apôtres

— Pierre et Paul : 3 LAg 36 ; RegCl Épil. ; 2 PrivP 9.
— « l'Apôtre » : 3 LAg 8 ; TestCl 4.
— garantie, autorité, salut, Siège apostolique : RegCl Prol.

Appropriation

— les sœurs y renoncent : RegCl 1, 2 ; 8, 1.

Argent

— choisir entre Dieu et Mammon : 1 LAg 26.
— donné à une sœur : RegCl 8, 11.
Cf. AUMÔNES, PAUVRETÉ.

Assise

— ville : RegCl Épil.
— Claire d'Assise : LEr 1.
— Saint-Damien d'Assise : 4 LAg 2 ; RegCl Prol. ; 1 PrivP 1 ; 2 PrivP 1.

Aumônes

— utilisées selon les nécessités : RegCl 7, 4 ; TestCl 64.
— les sœurs vont à l'aumône : RegCl 8, 2.

Aumônier

Cf. CHAPELAIN.

Autorité

— apostolique : RegCl Prol. ; 2, 5.

Avertissement

— du Christ : 4 LAg 24.
— de François : 3 LAg 30-31.
— de Claire : 2 LAg 10.

Aveugle

3 LAg 15.

Béatitude

— pour celui qui voit Dieu : 4 LAg 13.
— la vie : 1 LAg 16.30 ; TestCl 23.
— un chemin : 2 LAg 13.
— la pauvreté est bienheureuse : 1 LAg 15 ; 4 LAg 18.22.
— des armées des cieux : 4 LAg 10.
— le Père céleste : TestCl 24.
— Marie : RegCl 3, 14.
— les saints Pierre et Paul : RegCl Épil.
— saint Michel archange : BCl 7.
— le bienheureux François : 3 LAg 36 ; RegCl Prol. ; 1, 1-5 ; 6, 1-2.10 ; 12, 7 ; TestCl 5.7.17.24.27.30.36.42.46-48.50.52.57.75.77.79 ; BCl 6-7.

Beauté

— du Fils de Dieu : 1 LAg 9 ; 2 LAg 20 ; 3 LAg 16 ; 4 LAg 10.

Bénédiction

— bénir Dieu : TestCl 22.
— bénédiction de Dieu : TestCl 79 ; BCl 2 s. ; LEr 15.
— bénédiction de Claire : TestCl 79 ; BCl.
— bénédiction du pape : RegCl Prol.
— Agnès est bénie par Claire : 4 LAg 36.

Biens (les biens et le bien)

— croître dans le bien : 1 LAg 32 ; TestCl 22.
— donner les biens temporels : 1 LAg 30 ; 2 LAg 23 ; RegCl 2, 7.9-10.
— ne pas s'élever à cause d'eux : LEr 7.
— les biens éternels : 1 LAg 30 ; 2 LAg 23.25.

Bienveillance

— de Dieu : 4 LAg 11 ; TestCl 2.6.15.
— de l'abbesse : TestCl 65.
— d'Agnès : 4 LAg 37.
— du Siège apostolique : RegCl Prol.

Bohême

1 LAg ; 2 LAg ; 3 LAg ; 4 LAg.

Bonaugure (frère)

4 LAg 40.

Cardinal

RegCl 2, 2 ; 11, 7 ; 12, 1, 12 ; TestCl 44.
Cf. RAYNALD.

Carême

— les temps : RegCl 5, 16.
— les aliments : 3 LAg 32-37.
Cf. JEÛNE.

Catholique

— foi catholique : RegCl 2, 3 ; 12, 13.

Cellule

— de la portière : RegCl 11, 1.

Claire

— dame : RegCl Prol.
— sœur Claire : RegCl 1, 5 ; BCl 6.
— servante : 1 LAg 2.33 ; 2 LAg 2 ; 3 LAg 2 ; 4 LAg 2 ; RegCl 1, 3 ; TestCl 37.79 ; BCl 6 ; LEr 1.
— mère : 4 LAg 33 ; TestCl 79 ; BCl 6.
— abbesse de Saint-Damien : RegCl Prol.
— petite plante de François : RegCl 1, 3 ; TestCl 37.49 ; BCl 6.
— fille bien-aimée en Christ : 1 PrivP 1 ; 2 PrivP 1.
Cf. ABBESSE, MÈRE, SERVANTE, SŒUR.

Clerc

— compagnon du chapelain : RegCl 12,5.

Clôture

— RegCl 11.
Cf. INCLUSE.

Cœur

— prier Dieu d'un cœur pur : RegCl 10, 10.
— le Seigneur l'illumine : RegCl 6, 1 ; 9, 4 ; TestCl 24.
— pardonner de tout son cœur : RegCl 9, 9.
— s'attacher de tout son cœur : 1 LAg 6 ; 4 LAg 9.
— lieu de la mémoire : 4 LAg 34.
— siège de l'affection : 3 LAg 13 ; 4 LAg 1.29.
— les cœurs humains : 3 LAg 6-7.

Colère

— empêche la charité : RegCl 9, 5.
— les sœurs ne s'irriteront pas : RegCl 9, 5.

Commandement

— de Dieu : 2 LAg 15 ; TestCl 18.76.
— de François : TestCl 18.37.
— du Cardinal : RegCl 12, 1.

Communauté

— l'ensemble des sœurs : RegCl 7, 14 ; BCl 5.
— mener la vie commune : RegCl Prol. ; 4, 13.
— consentement mutuel : RegCl 4, 19.22.
— l'utilité commune : RegCl 4, 3.7 ; 7, 1.5.
— les négligences : RegCl 4, 16.

Communion

— 7 fois l'an : RegCl 3, 14.
— le chapelain entre pour communier les sœurs : RegCl 3, 15 ; 12, 10.

Confession

— confesser le Seigneur : 3 LAg 41.
— confesser la foi catholique : RegCl 2, 3-4.
— le sacrement : RegCl 3, 12-13 ; 5, 17 ; 12, 10.
— confesser les offenses au chapitre : RegCl 4, 16.

Confiance

— recourir à l'abbesse avec confiance : TestCl 66.
— mendier avec confiance : RegCl 8, 2.
Cf. GRÂCE, NOURRITURE, PROVIDENCE.

Conseil

2 LAg 16-17 ; RegCl 2, 10 ; 8, 12 ; 9, 13.
— donné par François : RegCl 6, 8.
— donné par Élie : 2 LAg 15.
— le « conseil » de l'abbesse : RegCl 4, 23 ; 5, 7 ; 7, 5 ; 8, 11 ; 9, 18.

Consolation

— consolation de Dieu : TestCl 10 ; LEr 16.
— François est consolation pour les sœurs : TestCl 38.
— l'abbesse console les affligées : RegCl 4, 11.
— Claire a des paroles de consolation pour Agnès : 2 LAg 9.

Contemplation

— Claire invite Agnès à la contemplation : 3 LAg 13 ; 4 LAg 11.18.23.28.33.

Conversion

— de François : RegCl 1, 4 ; 6, 1 ; TestCl 9.25.
— de Claire : TestCl 25.57.
— de Claire et de ses sœurs : TestCl 8.

Corps

— du Christ flagellé : 2 LAg 20.
— du Christ souffrant dans ses membres : 3 LAg 8.
— corps eucharistique : 1 PrivP 10.
— le corps dans ses faiblesses : 3 LAg 39 ; TestCl 27 ; 1 PrivP 5 ; 2 PrivP 5.
— pour garder les commandements : TestCl 18.

— demeure du Fils du Très-Haut: 3 LAg 25.
— les sœurs habitent «enfermées de corps»: RegCl Prol.
— le jeûne: 3 LAg 38-39; RegCl 3, 11.

Correction

— par le cardinal protecteur: RegCl 12, 12.
— par le visiteur: RegCl 12, 3.
— par l'abbesse: RegCl 10, 1.
— de ceux qui vont à l'encontre du Privilège de la pauvreté: 1 PrivP 10.

Course

2 LAg 12; 3 LAg 3; 4 LAg 30-31.

Crainte

— obéir plus par amour que par crainte: RegCl 4, 9.
— craindre Dieu: RegCl 2, 10.
— ne pas craindre la pauvreté et les épreuves: RegCl 6, 2; TestCl 38.

Créateur

— l'âme fidèle est sa demeure: 3 LAg 22.

Créature

— l'âme de l'homme fidèle est la plus digne: 3 LAg 21.
— les créatures ne peuvent contenir le créateur: 3 LAg 22.

Crèche

4 LAg 19.21; RegCl 2, 24; TestCl 45.

Croix

— le Christ y souffre: 1 LAg 13-14; 2 LAg 20-21; 4 LAg 23-24; LEr 13.
— méditer les mystères de la croix: LEr 12.
— Marie se tient sous la croix: LEr 12.
— prendre sa croix: LEr 9.
Cf. PASSION.

Dame

— Claire: RegCl Prol.
— Agnès: 1 LAg 1.12; 2 LAg 1.24; 3 LAg 1.11; 4 LAg 1.
— François appelle les sœurs «dames»: RegCl 6, 8; TestCl 14.
— Dame la très sainte pauvreté: TestCl 39.

— parler et agir comme des dames avec leur servante : RegCl 10, 4.
— les Pauvres Dames : 2 LAg 2 ; 3 LAg 2 ; BCl 5.

Damien

Cf. SAINT-DAMIEN D'ASSISE.

Défunts

— prier pour eux : RegCl 3, 5 ; 12, 11.
Cf. MORT.

Demeure

— l'âme fidèle est demeure de Dieu : 3 LAg 22-23.
— posséder les demeures célestes : 2 LAg 21.
— ne pas s'en approprier : RegCl 8, 1.
— pauvres demeurant à Saint-Damien : TestCl 12.
— de Claire avec ses sœurs : 1 LAg 33 ; 4 LAg 2 ; TestCl 30 ; BCl 5 ; 1 PrivP 8.
Cf. MONASTÈRE, SAINT-DAMIEN D'ASSISE.

Dénuement

— choisi par Agnès : 1 LAg 6.

Dévotion

— ne pas éteindre l'esprit de dévotion : RegCl 7, 2.
— prier avec dévotion : 2 LAg 25.
— travailler avec dévotion : RegCl 7, 1.
— attitude de Claire et des sœurs : 1 LAg 33 ; 4 LAg 37 ; RegCl Prol.

Dieu

— source de la sagesse : 3 LAg 6 ; de la promesse : 1 LAg 16 ; RegCl 10, 2 ; TestCl 47.52.67 ; de la douceur : 3 LAg 14 ; des bienfaits : TestCl 6-7 ; de grâces : 3 LAg 21 ; 4 LAg 18 ; TestCl 41 ; LEr 2.
— est fidèle : LEr 15 ; tout-puissant : RegCl Prol. ; console et prend pitié : RegCl Prol. ; 12, 7 ; TestCl 10.38.
— son amour : 4 LAg 40 ; TestCl 15.60.
— sa parole : RegCl 4, 3 ; 5, 10 ; sa volonté : TestCl 30 ; ses commandements : TestCl 18.
— le contempler : 3 LAg 13 ; le servir : 1 LAg 26 ; RegCl Prol. ; TestCl 51 ; 1 PrivP 1 ; 2 PrivP 1 ; le prier : LEr 17 ; le louer : TestCl 22 ; le craindre : RegCl 2, 10.
— l'aimer et se vouer à lui : TestCl 45 ; LEr 8.11.

— Jésus est son fils : TestCl 5 ; nous réconcilie avec lui : 1 LAg 14 ; substance divine : 3 LAg 13 ; son corps et son sang : 1 PrivP 10.
— la vocation divine : 2 LAg 17 ; le jugement divin : 1 PrivP 10 ; le trône de Dieu : 4 LAg 3.39 ; l'inspiration divine : RegCl 2, 1 ; 6, 3.
— l'office divin : RegCl 3, 1 ; 5, 13.
— les anges et les saints de Dieu : BCl 7.
— Agnès, auxiliaire de Dieu : 3 LAg 8.
Cf. FILS, JÉSUS-CHRIST, SEIGNEUR.

Discrétion

— agir avec discernement : 3 LAg 31.40 ; RegCl Prol. ; 2, 16 ; 5, 3 ; 9, 3.
— demandée à la portière : RegCl 11, 1 ; à l'abbesse : TestCl 63 ; au chapelain : RegCl 12, 5 ; aux personnes qui conseillent : RegCl 2, 10.
— les discrètes, le conseil de l'abbesse : RegCl 2, 19 ; 4, 23-24 ; 5, 7 ; 7, 5 ; 8, 11.20 ; 9, 18.

Don

— 1 LAg 27 ; RegCl 4, 5 ; 9, 7.
— Dieu donne : 1 LAg 25.32 ; 2 LAg 3 ; 4 LAg 9 ; RegCl 7, 1 ; TestCl 25.48.64.73.78 ; BCl 8.
— le Christ se donne : 3 LAg 15.
— l'abbesse donne : RegCl 2, 19 ; 8, 7-9.

Douceur

— suavité de l'amour : 1 LAg 9 ; 4 LAg 5.12.
— l'amertume devient douceur : TestCl 70.
— Dieu donne la douceur : 3 LAg 14.
— la Mère de Jésus est douce : 3 LAg 18.

Écrits

Cf. LETTRES, PAROLES.

Église

— la sainte Église romaine : RegCl 1, 3 ; 12, 12-13 ; TestCl 14.44.46.
— l'Église triomphante et militante : TestCl 75 ; BCl 9-10.
— les sacrements : RegCl, 2, 3.
— l'église de Saint-Damien : TestCl 10.12.30 ; 1 PrivP 1 ; 2 PrivP 1 ; du monastère : RegCl 4, 13 ; 5, 2.
— une personne ecclésiastique : 1 PrivP 10.

Élection

— appel de Dieu : TestCl 16.
— choisir la pauvreté : 1 LAg 6 ; RegCl 6, 6 ; TestCl 36 ; d'habiter enfermées et de servir le Seigneur : RegCl Prol. ; de vivre selon la forme du saint évangile : RegCl 6, 2.
— élection de l'abbesse : RegCl 4.
— les discrètes et les officières : RegCl 4, 22-24 ; 5, 7.
— les successeurs du pape : RegCl 1, 3 ; de Claire : RegCl 1, 5.

Élie (frère)

2 LAg 15.

Ennemi

— le démon : 1 LAg 14 ; 3 LAg 6.20 ; RegCl 9, 1.
— l'oisiveté : RegCl 7, 2.

Enseignement

— du Christ et de François : TestCl 5.24.26.36.57 ; RegCl 6, 1.
— des autres : RegCl 6, 9.

Épouse

— Agnès est épouse du Seigneur Jésus : 1 LAg 12.24 ; 2 LAg 1.7 ; 3 LAg 1 ; 4 LAg 1.4.7.15.17.
— fiancée à l'Agneau : 4 LAg 8.
— les sœurs ont épousé l'Esprit-Saint : RegCl 6, 3.
— Agnès aurait pu épouser l'empereur : 1 LAg 5 ; 2 LAg 6.
— la chambre nuptiale : 2 LAg 5.

Époux

— l'époux céleste : 1 LAg 7 ; 2 LAg 20.24 ; 4 LAg 30 ; 1 PrivP 5 ; 2 PrivP 5.
— l'époux d'une postulante mariée : RegCl 2, 5.

Ermentrude

LEr 1.

Esprit

— l'Esprit du Seigneur : 1 LAg 18 ; 2 LAg 14 ; 4 LAg 7.35 ; RegCl 2, 9 ; 6, 3 ; 10, 9 ; TestCl 11 ; BCl 1 ; 1 PrivP 5 ; 2 PrivP 5.
— l'esprit de sainte oraison et de dévotion : RegCl 7, 2.
— l'esprit d'humilité et de charité : 2 LAg 7.
— l'esprit de l'homme : 1 LAg 6.32 ; 3 LAg 12 ; 4 LAg 26 ; RegCl Prol. ; TestCl 18 ; LEr 11.
— l'allégresse spirituelle : 1 LAg 21.

— la sœur spirituelle : RegCl 8, 16 ; un père ; une mère, filles, fils spirituels : BCl 13.
— porter le Christ spirituellement : 3 LAg 25.

Étrangères

— les sœurs sont pèlerines et étrangères : RegCl 8, 2.
— Claire n'est pas étrangère à la joie d'Agnès : 3 LAg 5.

Évangile

— vivre selon l'évangile : RegCl 1, 2 ; 6, 3 ; 12, 13.
— dire la parole de l'évangile : RegCl 2, 7.

Évêque

— autorisation de l'évêque : RegCl 2, 5.
— peut entrer pour célébrer : RegCl 11, 9.
— Innocent, évêque : RegCl Prol. ; 1 PrivP 1.
— Grégoire, évêque : 2 PrivP 1.
— Raynald, évêque : RegCl Prol.

Exemple

— de François : RegCl 6, 1 ; TestCl 5.24.34.36.46.
— des saints et des frères : TestCl 28.
— l'abbesse est exemple pour ses sœurs : RegCl 4, 9 ; TestCl 62.
— les sœurs sont exemple pour les autres et pour leurs sœurs : TestCl 19-21.23.60.

Exultation

— de Claire et d'Agnès : 1 LAg 3-4.21 ; 3 LAg 4 ; 4 LAg 7.

Faiblesse

— des sœurs : 3 LAg 31.39 ; RegCl 3, 10 ; TestCl 27.
— des autres : TestCl 38.

Familiarité

— de l'abbesse envers ses sœurs : RegCl 10, 4.

Fidélité

— de Dieu : LEr 15.
— à Dieu : 3 LAg 21-22 ; LEr 4.8.
— confesser fidèlement la foi catholique : RegCl 2, 4.
— travailler fidèlement : RegCl 7, 1.

Fille

— du roi souverain : 2 LAg 1 ; 4 LAg 17 ; RegCl 6, 3.
— Agnès : 1 LAg 1 ; 4 LAg 4.36.39.

— Ermentrude : LEr 15.
— les sœurs de Saint-Damien : 4 LAg 38 ; RegCl Prol. ; TestCl 63 ;
BCl 4.12-13 ; 1 PrivP 1 ; 2 PrivP 1.
— les sœurs d'Agnès : 4 LAg 37-39.
— les sœurs d'Ermentrude : LEr 3.15.
— les postulantes : RegCl 2, 17.

Fils

— le Fils de l'homme : 1 LAg 18.
— le plus beau des fils des hommes : 2 LAg 20.
— le Fils de Dieu : TestCl 5.35 ; du Très-Haut : 1 LAg 24 ;
3 LAg 17.
— enfanté par Marie : 3 LAg 18.
— suivre son humilité et sa pauvreté : TestCl 46.
— l'aimer : LEr 11.
— dans la Trinité : BCl 1.
Cf. Jésus-Christ.

Foi

— examiner la foi des postulantes : RegCl 2, 3.
— être stables dans la foi : RegCl 12, 13.
— force de la foi : 3 LAg 7 ; LEr 7.

Force

— force de la puissance du Seigneur : 1 LAg 9 ; de la foi : 3 LAg
7 ; LEr 7.
— la nôtre est fragile : 3 LAg 38.
— se fortifier dans le service du Seigneur : 1 LAg 13.31 ; TestCl 22.
— faire renforcer la profession de pauvreté : TestCl 42.

Forme

— la forme de vie des sœurs : RegCl Prol. ; 1, 1 ; 4, 3 ; 6, 2 ;
TestCl 23.33.
— la forme de notre pauvreté : RegCl 2, 13 ; 4, 5.
— la forme de notre profession : RegCl 2, 20.23 ; 9, 1 ; 10, 1 ; 12,
3.
— les sœurs sont « forme » pour les sœurs et pour autrui : TestCl
19.
— observer la forme canonique : RegCl 4, 1.7.
— forme à observer pour l'accueil des sœurs : RegCl 2.
— forme à observer dans la façon de parler : RegCl 5, 8 ; 8, 21.

François

— frère : RegCl 6, 7.
— père : TestCl 18.

— bienheureux: 3 LAg 36; RegCl Prol.; 1, 1.4-5; 6, 10; 12, 7; TestCl 27.
— saint: RegCl 3, 14; TestCl 9.16.31.
— glorieux père: 3 LAg 30.
— bienheureux père: TestCl 42.
— saint père: TestCl 37-38.40.
— bienheureux père (saint) François: RegCl Prol.; 1, 3; 6, 1-2; TestCl 5.7.17.24.30.36.46-48.50.52.57.75.77.79.

Frère

— les frères de François: RegCl 6, 4-5; TestCl 9.28-29.36.
— l'Ordre des Frères Mineurs: RegCl 4, 2; 12, 1.6-7; 12, 12; TestCl 44.
— dire l'office comme eux: RegCl 3, 1.
— les frères laïcs subviennent à la pauvreté: RegCl 12, 5.
— François: RegCl 6, 7.
— l'évêque d'Ostie: RegCl Prol.
— Élie: 2 LAg 15.
— Aimé: 4 LAg 40.
— Bonaugure: 4 LAg 40.

Gloire

— la gloire de Dieu: 1 LAg 2.16; 2 LAg 5; 3 LAg 12; 4 LAg 13-14.39; LEr 10.
— Marie est glorieuse: 1 LAg 24; 3 LAg 24; TestCl 46.77.
— avoir part à la gloire de Dieu: 2 LAg 22-23; BCl 10.
— glorifier Dieu par notre vie: TestCl 14.
— la gloire terrestre: 1 LAg 5.27; 3 LAg 20.
— se garder de la vaine gloire: RegCl 10, 6.

Grâce

— la grâce de Dieu: 2 LAg 3.25; 3 LAg 21; 4 LAg 18; RegCl 6, 1; TestCl 24.26.58; BCl 9; LEr 2.
— la grâce du Seigneur Jésus: 1 LAg 9.
— rendre grâce: 2 LAg 3; TestCl 2.
— la grâce de travailler: RegCl 7, 1.
— demander en grâce: RegCl 12, 7.

Grégoire IX

2 PrivP 1.

Grille

RegCl 5.

— imiter le conseil de frère Élie : 2 LAg 15.
— refuser d'imiter tout autre conseil : 2 LAg 17.
Cf. SUITE.

Incluse

1 LAg 2 ; RegCl Prol.

Indigence

— du Fils de Dieu : 1 LAg 19.
— des hommes : 1 LAg 20.
Cf. DÉNUEMENT.

Infirmerie

RegCl 4, 13 ; 5, 3.
Cf. MALADES.

Innocent III

RegCl 1, 3 ; TestCl 42 ; 1 PrivP 1.

Innocent IV

RegCl Prol. ; Épil.

Jérusalem

— Jérusalem d'en-haut : 4 LAg 13.

Jésus-Christ

— Fils du Père très haut : 1 LAg 24 ; 3 LAg 17-18 ; de Dieu : TestCl 5.35 ; de l'homme : 1 LAg 18.
— la voie, la vérité, la vie : 1 PrivP 3 ; 2 Privp 3.
— l'enfant très saint : RegCl 2, 24 ; le pauvre crucifié : 1 LAg 13 ; le plus beau des fils des hommes : 2 LAg 20, le plus vil des hommes : 2 LAg 20.
— il est rédempteur : 1 PrivP 10 ; nous donne sa paix : 1 PrivP 11.
— nous régnerons avec lui : 1 LAg 27.
— suivre ses traces : 1 LAg 17 ; 2 LAg 18 ; 3 LAg 4 ; RegCl Prol. ; 6, 7 ; 12, 13 ; TestCl 46 ; LEr 9.
— l'aimer : LEr 11 ; le servir : 1 LAg 2.4 ; 3 LAg 2 ; 4 LAg 2 ; RegCl 1, 3 ; TestCl 37,48 ; BCl 6 ; LEr 1 ; le prier : BCl 1.7.
— être pour lui épouse : 1 LAg 7.12 ; 2 LAg 1 ; 4 LAg 7.15 ; sœur : 1 LAg 12 ; 3 LAg 1 ; mère : 1 LAg 12 ; fille : 4 LAg 37 ; RegCl Prol. ; dame : 3 LAg 1.11.
— vivre dans sa charité : 1 LAg 31.34 ; TestCl 59 ; 1 PrivP 11.
— accomplir sa loi : LEr 17.
— Claire exhorte en son nom : RegCl 8, 6 ; 10, 6 ; TestCl 56.
Cf. FILS, SEIGNEUR.

Jeûne

3 LAg 32-37 ; RegCl 3, 8-11.

Joie

— se réjouir dans le Seigneur : 1 LAg 3.21 ; 2 LAg 21.25 ; 3 LAg 3.5.9-10 ; TestCl 28 ; LEr 3.
— jouir du banquet : 4 LAg 9 ; de la vision de Dieu : 1 LAg 34.
— la joie de l'Esprit : 4 LAg 7.
— les joies du salut : 3 LAg 2.
— Agnès est la joie des anges : 3 LAg 11.
— à la suite du Christ : 2 LAg 13.
— renoncer à jouir des honneurs du siècle : 1 LAg 5.

Laïcs

— deux frères pour subvenir à la pauvreté : RegCl 12, 5.

Lettres

— l'Écriture : TestCl 76.
— le nom inscrit sur le livre de vie : 2 LAg 22.
— les sœurs lettrées font l'office : RegCl 3, 1.6.
— celles qui ne savent pas les lettres : RegCl 3, 4 ; 10, 8.
— ne pas en envoyer sans autorisation : RegCl 8, 7.
— François écrit aux sœurs : 3 LAg 36 ; RegCl Prol. ; 6, 2.6 ; TestCl 34.39.
— Claire écrit à Agnès : 4 LAg 4.7.34.37.

Lieu

— ne pas s'approprier de lieu : RegCl 8, 1.
— Saint-Damien d'Assise : TestCl 52-53 ; 1 PrivP 11.
— lieu public : RegCl 12, 4.9.
— lieu et temps : RegCl 2, 16 ; 8, 13.
— monastère : TestCl 32 ; 1 PrivP 8.

Louange

— envers Dieu : RegCl 3, 4 ; TestCl 22.
— pour la beauté et l'humilité de Dieu : 1 LAg 30 ; 3 LAg 16 ; 4 LAg 10.20.
— pour l'enseignement et la vie de François : TestCl 26.

Lumière

— le Christ, éclat de la lumière éternelle : 4 LAg 14.
— le Seigneur illumine : RegCl 9, 4 ; TestCl 11. 26.

Malades

— service des sœurs malades : RegCl 4, 12 ; 5, 3 ; 8, 12-19.

— empêchement à l'admission : RegCl 2, 5.
— sacrement pour les sœurs malades : RegCl 3, 15 ; 12, 10.
— doivent avoir de la patience : RegCl 10, 10.
— ne sont pas tenues au jeûne : 3 LAg 31.
— soutenues par le Christ : 1 PrivP 5 ; 2 PrivP 5.

Marie

— a enfanté le Fils du Très-Haut : 1 LAg 24 ; 3 LAg 17-18.24.
— nous procure ses mérites : TestCl 77 ; son intercession : BCl 7.
— s'attacher à elle : 3 LAg 18.
— suivre ses traces comme celles de son Fils : RegCl Prol. ; 2, 24 ; 6, 7 ; 8, 6 ; 12, 13 ; TestCl 46.
— au pied de la croix : LEr 12.
— ne pas lui faire injure : TestCl 75.
— ses fêtes : 3 LAg 36 ; RegCl 3, 14.

Martin (Saint)

— le carême de la Saint-Martin : RegCl 5, 15.

Membres

— du corps du Christ : 3 LAg 8.
— de la communauté : RegCl 12, 3.

Mémoire

— du Christ : 4 LAg 12 ; LEr 11.
— des préceptes du Seigneur : RegCl 9, 9.
— du propos de vie : 2 LAg 11 ; RegCl 10, 2 ; TestCl 67.
— des sœurs : 4 LAg 26.33-34.

Mépris

— du monde : 1 LAg 22 ; 2 LAg 19 ; RegCl Prol. ; 6, 2. TestCl 27.
— le Christ est méprisé : 1 LAg 19 ; 2 LAg 19-20.
— choisir entre Dieu et l'argent : 1 LAg 26.

Mère

— Marie : 3 LAg 18 ; RegCl Prol. ; 2, 24 ; 6, 7 ; 8, 6 ; 12, 13 ; TestCl 46.75.77 ; BCl 7 ; LEr 12.
— le fidèle est mère de Jésus-Christ : 1 LAg 12.24.
— l'Église : TestCl 44.
— Claire : 4 LAg 5.33.37 ; RegCl Prol. ; TestCl 79 ; BCl 6.13.
— Agnès : 4 LAg 1.4.
— les sœurs sont mères les unes des autres : RegCl 8, 16.
— l'abbesse est mère : RegCl 4, 7 ; TestCl 63.68-69.
Cf. ABBESSE.

Mort

— le Christ relève les morts : 4 LAg 13.
— du Christ : 2 LAg 20-21 ; 4 LAg 23. Cf. CROIX.
— de Claire : TestCl 39.52 ; BCl 11.
— de François : TestCl 34.38.
— d'Ermentrude : LEr 4.
— pécher mortellement : RegCl 9, 1.
— l'office des morts : RegCl 3, 6.

Nativité

— ne pas jeûner : 3 LAg 33.35 ; RegCl 3, 9.
— communier : RegCl 3, 14.

Nécessité

— une seule chose est nécessaire : 2 LAg 10.
— manifester avec assurance : RegCl 8, 15 ; TestCl 65.
— dans la pauvreté : RegCl 2, 16 ; 4, 19 ; TestCl 27.
— dans le jeûne : RegCl 3, 11.
— de rompre le silence : RegCl 5, 4.
— dans la maladie : RegCl 8, 12.
— dans l'acquisition de terrain : RegCl 6, 14-15 ; TestCl 53-54.
— dans l'emploi des aumônes : RegCl 7, 4 ; TestCl 64.
— de parler au prêtre : RegCl 5, 17.
— de remplacer la portière : RegCl 11, 2.
— de séjourner hors du monastère : RegCl 9, 11.
— d'introduire des gens dans le monastère : RegCl 11, 10.

Négligence

— à confesser humblement : RegCl 4, 16.

Nom

— de la Trinité : BCl 1.
— du Seigneur : RegCl 8, 6 ; TestCl 1.
— inscrit au livre de vie : 2 LAg 22.

Nourriture

— le Seigneur nourrit : 1 LAg 20 ; 1 PrivP 6 ; 2 PrivP 6.
— les sœurs se nourrissent mutuellement : RegCl 8, 16.
— nourriture et carême : 3 LAg 30-37. Cf. JEÛNE.
— alimentation des sœurs malades : RegCl 8, 12.

Novice

RegCl 2.

Obéissance

— profession des sœurs : RegCl 1, 2.4-5 ; 2, 13 ; 6, 1.
— de Claire au pape et à ses successeurs : RegCl 1, 3.
— de Claire à François : RegCl 1, 4 ; 6, 1 ; TestCl 25.
— des sœurs : RegCl 1, 5 ; 4, 9 ; 10, 3 ; TestCl 62.68.
— ne pas obéir : RegCl 4, 5.

Observance

— du saint évangile : RegCl 1, 2 ; 12, 13.
— du Testament de Claire : TestCl 79.
— de cette vie : RegCl Prol. ; 2, 5.13 ; 10, 3 ; 1 PrivP 8 ; BCl 15.
— de la foi catholique : RegCl 2, 4.
— de la forme de pauvreté : RegCl 2, 13 ; 6, 11 ; 12, 13.
— de la forme canonique : RegCl 4, 1.

Odeur

— du Christ : 4 LAg 13.30.
— la renommée des sœurs : TestCl 58.

Offense

— à confesser en chapitre : RegCl 4, 16.

Office

— l'office divin : RegCl 3, 1.6 ; 5, 13.
— la charge de l'abbesse : RegCl 4, 9 ; 6, 11 ; TestCl 41.61-69.
— l'office de la visite : RegCl 12, 3.
— les officières : RegCl 4, 22.24.

Oraison

Cf. PRIÈRE.

Ordre

— des Frères Mineurs : RegCl 3, 1 ; 4, 2 ; 12, 1.6-7.12 ; TestCl 44.
— des Sœurs Pauvres : RegCl 1, 1 ; TestCl 37.

Orgueil

— s'en garder : RegCl 10, 6.
— perd l'homme : 3 LAg 6.28.

Ostie

RegCl Prol.

Pain

RegCl 9, 2.

Paix

— don de Dieu : BCl 4 ; 1 PrivP 11.
— la conserver parmi les sœurs : RegCl 4, 22.
— souhait de Claire : LEr 1.

Pape

— accorde le Privilège de la pauvreté : TestCl 42.
— donne un cardinal protecteur : RegCl 12, 12.
— concède le droit d'entrer dans le monastère : RegCl 11, 7.
— Claire lui promet révérence : RegCl 1, 3 ; lui recommande ses sœurs : Test Cl 44.
Cf. Grégoire IX, Innocent III, Innocent IV.

Pâques

— ne pas jeûner : 3 LAg 36.
— communier : RegCl 3, 14.

Pardon

— le demander : RegCl 9, 7.

Parler

— Dieu parle : TestCl 16.
— François parlait : TestCl 12.
— les lieux et les temps de parler : RegCl 5.
— la façon de parler : RegCl 8 ; 9, 12 ; 10, 4.
— la langue de l'esprit : 4 LAg 35.

Parloir

RegCl 5 ; 12, 10.

Parole

— la parole de Dieu : RegCl 4, 3 ; 5, 10 ; LEr 15.
— la parole de l'évangile : RegCl 2, 7 ; 9, 9.
— les paroles de l'Apôtre : 3 LAg 8 ; TestCl 4.
— les paroles de François : RegCl Prol. ; TestCl 5.34.46.49.
— les paroles bonnes : RegCl 8, 19.
— les paroles vaines : 2 LAg 8 ; RegCl 3, 13 ; 9, 6.

Passion

— du Seigneur : 1 LAg 14. Cf Croix.

Patience

— la garder dans la tribulation : RegCl 10, 10.
Cf. Malades.

Pauvre

— le Christ s'est fait pauvre : 1 LAg 13.19 ; 2 LAg 18 ; 3 LAg 41 ;
RegCl 8, 3 ; TestCl 45 ; 1 PrivP 3 ; 2 PrivP 3 ; enveloppé de
pauvres langes : RegCl 2, 24.
— Agnès est pauvre : 2 LAg 18.
— les pauvres reçoivent le Royaume : 1 LAg 20.25.
— leur distribuer les biens : RegCl 2, 7.10 ; 1 PrivP 3 ; 2 PrivP 3.
— pauvre en biens : RegCl 8, 4.
— des pauvres à Saint-Damien : TestCl 12.

Pauvres Dames

Cf. DAMES.

Pauvres Sœurs

Cf. ORDRE, SŒURS.

Pauvreté

— contempler la pauvreté du Christ : 1 LAg 15-17 ; 4 LAg 18-22 ;
RegCl 8, 4.
— choisir la pauvreté : 1 LAg 6.22 ; 2 LAg 7.
— suivre les traces de l'humilité et de la pauvreté du Fils de Dieu :
3 LAg 25 ; RegCl Prol. ; 6, 7 ; TestCl 35 ; 1 PrivP 7 ; 2 PrivP 7.
— vivre en elle : 2 LAg 2 ; RegCl 6, 8.
— l'observer : RegCl 2, 13 ; 4, 5 ; 6, 10 ; 12, 13 ; TestCl 40-
42.47.51-52.56.
— ne pas la craindre : RegCl 6, 2 ; TestCl 27.
— ne pas s'en écarter : RegCl 6, 6 ; TestCl 33-39.
— la pauvreté des sœurs : RegCl 6, 2 ; 8, 2 ; 12, 6 ; TestCl 27.

Péché

— le Christ enlève le péché du monde : 4 LAg 8 ; meurt pour les
pécheurs : LEr 11.
— ne pas se troubler : RegCl 9, 5.
— le péché des sœurs : RegCl 9, 1.
— nos fautes : RegCl 9, 17-18 ; TestCl 74 ; 1 PrivP 10.

Pèlerin

— vivre en pèlerines et étrangères : RegCl 8, 2.

Pénitence

— faire pénitence : RegCl 6, 1 ; TestCl 24.
— après une faute : RegCl 9, 4.
— enjoindre une pénitence avec miséricorde : RegCl 9, 17-18.

Pentecôte

— communier : RegCl 3, 14.

Père

— Dieu est Père : 1 LAg 14.24 ; 2 LAg 4 ; RegCl 6, 1.3 ; TestCl 2.24.46.77 ; BCl 8 ; aimant : 3 LAg 23 ; miséricordieux : TestCl 2.58 ; BCl 12.
— François : 3 LAg 30 ; RegCl Prol. ; 1, 3 ; 6, 1-2 ; TestCl 5.7.17-18.24.30.36-38.40.42.46-48.50.52.57.75.77.79 ; BCl 6-7.
— Élie : 2 LAg 15.

Perfection

— du don de Dieu : 2 LAg 3.
— de l'imitation de Dieu : 2 LAg 4.
— vivre selon la perfection du saint évangile : RegCl 6, 3.
— de la vie religieuse : 2 LAg 3.5.14.17 ; de la vocation : TestCl 3.
— de l'amour mutuel : RegCl 10, 7.

Permission

— pour les sœurs : RegCl 3, 3 ; 5, 3.
— de sortir : RegCl 2, 12 ; d'entrer : RegCl 3, 15 ; 11, 8 ; 12, 8.10.
— de l'abbesse : RegCl 3, 12 ; 5, 3-6 ; 8, 7-8.
— du Cardinal : RegCl 2, 2.

Pérouse

RegCl Épil.

Persévérance

— don de Dieu : TestCl 73.78.
— celui qui persévère sera sauvé : RegCl 10, 13.
— Claire bénit celles qui persévèrent : BCl 5.
— dans la voie de la pauvreté : RegCl 6, 7 ; TestCl 33.
— ceux qui persévèrent sont peu nombreux : TestCl 72.

Pieds

— aux pieds de l'Église : RegCl 12, 13.
Cf. OBÉISSANCE.
— aux pieds d'une sœur : RegCl 9, 7.
Cf. HUMILITÉ.
— sans entrave : 2 LAg 12.

Pierre

— précieuse : 1 LAg 10.
— la force de la pierre : 3 LAg 38.

Pierre et Paul

RegCl Épil. ; 2 PrivP 9.
Cf. Apôtre.

Plante

— Claire est petite plante de François : RegCl 1, 3 ; TestCl 37.49 ;
BCl 6.
— François est planteur : TestCl 48.

Porte

— la porte étroite : 1 LAg 29 ; TestCl 71.
— du monastère : RegCl 11.
— de la grille : RegCl 5.

Prière

— ne pas éteindre l'esprit de prière : RegCl 7, 2 ; LEr 13.
— prier toujours d'un cœur pur : RegCl 10, 10.
— l'offrande de la prière : RegCl 9, 7.
— prier pour celle qui a péché : RegCl 9, 4.

Privilège

TestCl 42.

Procureur

RegCl 4, 19.

Profession

— profession religieuse : RegCl 2 ; 1 PrivP 1.
— de vie en pauvreté : TestCl 37.42.
— ne rien faire de contraire à la profession : RegCl 9, 1 ; 10, 1.3 ;
12, 3.
— l'abbesse doit avoir fait profession : RegCl 4, 4-5.
Cf. Obéissance, Promesse.

Promesse

— faite à Dieu : RegCl 10, 3 ; TestCl 42.48.68 ; BCl 15 ; LEr 4.
— du Royaume des cieux : 1 LAg 16.25.
— du saint évangile : RegCl 12, 13.
— au pape : RegCl 1, 3.
— à François : RegCl 1, 4 ; 6, 1 ; TestCl 25.40.42.47-48.
— de François aux sœurs : RegCl 6, 4.
— d'observer la pauvreté : RegCl 2, 13 ; 6, 10 ; 12, 13 ; TestCl
40.47.52.

Reine

— Agnès de Prague: 2 LAg 1.20; 4 LAg 1.15.27.
— les sœurs: RegCl 8, 4.
— les reines du monde: 3 LAg 27.

Religion

— entrer en religion: RegCl 2, 5.
— l'Ordre des Frères Mineurs: TestCl 29.44.50.

Révérence

— envers le pape: RegCl 1, 3.
— envers Agnès: 1 LAg 2; 3 LAg 1.

Richesse

— de Dieu: 4 LAg 28.
— et pauvreté: 1 LAg 15.20.
— rejeter les richesses temporelles: 1 LAg 22.29.
— l'homme riche: 1 LAg 28. Cf. PAUVRETÉ.

Roi

— Dieu est souverain roi: RegCl 6, 3.
— Christ: 2 LAg 1.5; 3 LAg 1; 4 LAg 1.4.17.21.27.
— les rois du monde: 3 LAg 27.
— le roi de Bohême: 1 LAg 1; 3 LAg 1.

Royaume

— des cieux: 1 LAg 16.25-29; 2 LAg 23; RegCl 8, 4; 10, 12.
— terrestre: 2 LAg 6.

Ruse

3 LAg 6.

Sacrements

RegCl 2, 3. Cf. COMMUNION, CONFESSION.

Sagesse

— de Dieu: 3 LAg 6.
— agir avec sagesse: 3 LAg 40.

Saint-Damien d'Assise

— église et monastère: 1 LAg 33; TestCl 10.13.30.
— Claire, abbesse de Saint-Damien: 1 LAg 2, 4 LAg 2; RegCl
  Prol.; TestCl 37; 1 PrivP 1; 2 PrivP 1.

Saints

— les saints : 2 LAg 21 ; TestCl 28.77 ; BCl 7.10.
— les vierges : 4 LAg 3.
— Agnès : 4 LAg 8.

Salut

— de l'âme : RegCl 3, 13.
— des hommes : 2 LAg 20 ; 3 LAg 2.
— souhait de salut : 2 LAg 2 ; 4 LAg 3 ; RegCl Prol. ; LEr 1.

Scandale

— obstacle sur la route : 2 LAg 14.
— entre sœurs : RegCl 4, 10.21 ; 9, 6.16.

Seigneur

— mot employé plus de 80 fois.
— le Père est Seigneur : TestCl 46 ; Jésus-Christ : RegCl 12, 13 ; TestCl 77.
— Il choisit la pauvreté : 1 LAg 17 ; RegCl 6, 7 ; 8, 3 ; et vient parmi nous : 1 LAg 19.
— Il inspire : RegCl 2, 9 ; révèle : RegCl 4, 18 ; appelle : TestCl 17.19.21 ; fortifie : TestCl 22 ; donne la grâce : RegCl 7, 1 ; donne des sœurs : TestCl 25 ; François : TestCl 48 ; les aumônes : TestCl 64 ; accroissement : TestCl 31.78 ; le Royaume : 1 LAg 25.
— Il illumine : TestCl 26 ; prédit : TestCl 31 ; accomplit : TestCl 11 ; bénit : TestCl 79 ; BCl 2.
— les seigneurs de la terre : 2 LAg 1.
— le seigneur pape : RegCl Prol. ; 1, 3 ; 12, 12 ; Épil. ; TestCl 42.
— le seigneur cardinal : RegCl 2, 2 ; 11, 7 ; TestCl 44.

Sépulture

RegCl 12, 11.

Servante

— Claire est servante du Christ : 1 LAg 2 ; 3 LAg 2 ; 4 LAg 2 ; RegCl 1, 3 ; TestCl 37 ; BCl 6 ; LEr 1 ; de ses sœurs : 1 LAg 2.32 ; 2 LAg 2 ; 3 LAg 2 ; 4 LAg 2 ; TestCl 37.79.
— François est serviteur : TestCl 7.
— les sœurs sont servantes : 4 LAg 2 ; RegCl Prol. ; 6, 3 ; 1 PrivP 1.
— l'abbesse est servante : RegCl 10, 4-5.
— Agnès est servante : 2 LAg 1.

Service

— du Christ : 1 LAg 4.13.31-32 ; RegCl Prol. ; 8, 2 ; TestCl 48.51.
— le Christ se sert lui-même aux sœurs : 1 PrivP 6.
— on ne peut servir Dieu et l'argent : 1 LAg 26.
— les choses temporelles doivent servir à la prière : RegCl 7, 2.
— celles qui servent hors du monastère : RegCl 2, 21 ; 3, 10 ; 5, 1 ; 9, 11.
— des sœurs : RegCl 4, 7 ; des malades : RegCl 5, 3 ; 8, 14.

Siècle

— siècle et éternité : 2 LAg 23 ; 4 LAg 4.
— les sœurs sont étrangères en ce siècle : RegCl 8, 2.
— le mépris du siècle : 1 LAg 22 ; RegCl 6, 2.
— le monde profane : 1 LAg 5.27 ; RegCl 9, 15 ; 10, 6 ; TestCl 8.10 ; LEr 6.

Silence

— au monastère : RegCl 5 ; 8, 20.
— le silence de la langue : 4 LAg 35.

Simplicité

— est sainte : TestCl 56.
— dans la faute : RegCl 9, 8.17.

Sœur

— du Christ : 1 LAg 12.24 ; 3 LAg 1.
— Claire : RegCl 1, 5 ; BCl 6.
— Agnès d'Assise : 4 LAg 38.
— Agnès de Prague : 1 LAg 12 ; 2 LAg 24 ; 3 LAg 1.
— Ermentrude : LEr 1-2.
— les Sœurs Pauvres : RegCl 1, 1 ; TestCl 37 ; BCl 6.
— les sœurs de la communauté : 1 LAg 33 ; 2 LAg 25-26 ; 3 LAg 4.11.42 ; RegCl Prol. ; 1-12 ; TestCl 6.19.25.37.39.44.50.52-53.56.60-63.67.79 ; BCl 4.14.

Soin

— garder les commandements de Dieu avec sollicitude : TestCl 18.
— de François à l'égard des sœurs : RegCl 6, 4 ; TestCl 29.
— de Claire à garder la pauvreté : RegCl 6, 10 ; TestCl 40.42.
— de l'abbesse pour ses sœurs : RegCl 2, 3.19 ; 11, 10 ; TestCl 53.
— pour observer la forme de vie : RegCl 2, 6.20 ; 4, 2 ; 10, 7 ; TestCl 40.42 ; BCl 15.
— se garder de tout souci : RegCl 10, 6 ; de celui d'apprendre les lettres : RegCl 10, 8.

Soumission

— à la loi de l'Esprit : 1 PrivP 5 ; 2 PrivP 5.
— à l'Église : RegCl 12, 13.
— Claire, soumise à Agnès : 1 LAg 2.
— les sœurs sujettes : RegCl 10, 2 ; TestCl 67.
— à une peine : RegCl 9, 3 ; 1 PrivP 10.
Cf. OBÉISSANCE.

Splendeur

— Christ, splendeur de la gloire : 3 LAg 12 ; 4 LAg 14.
— des saints : 2 LAg 21.

Suite

— suivre le Christ : 2 LAg 19 ; 4 LAg 3 ; RegCl Prol. ; LEr 9.
— suivre la vie, la pauvreté et l'humilité du Christ : 3 Lag 25 ; RegCl 6, 7 ; TestCl 46.
Cf. IMITATION.

Talent

— le rendre multiplié : TestCl 18.

Travail

— est une grâce : RegCl 7, 1 ; ne pas le craindre : RegCl 6, 2 ; TestCl 27 ; nous mérite le salut : 4 LAg 22 ; TestCl 23 ; LEr 5.
— travail honnête : RegCl 7, 1.
— vêtements de travail : RegCl 2, 15.
— le travail et la terre : RegCl 6, 15 ; TestCl 55.
— entrer dans le monastère pour un travail : RegCl 11, 10-11.

Trésor

— l'enfouir dans le ciel : 1 LAg 22.
— caché dans le champ du monde : 3 LAg 7.

Tribulation

— croix : 2 LAg 21.
— ne pas la craindre : RegCl 6, 2 ; TestCl 27 ; LEr 10.
— garder la patience : RegCl 10, 10.
— l'abbesse est un refuge : RegCl 4, 12.

Trouble

— et vie fraternelle : RegCl 4, 21 ; 9.

Unité

— de la charité : RegCl Prol. ; 4, 22 ; 10, 22 ; TestCl 69.
Cf. AMOUR, CHARITÉ

Vanité

— rend les cœurs sots : 3 LAg 6.
— du siècle : 4 LAg 8 ; TestCl 8 ; LEr 6.
— se garder de la vaine gloire : RegCl 10, 6.

Velletri

RegCl Prol.

Vérité

— Christ est la vérité : 3 LAg 23 ; 1 PrivP 3 ; 2 PrivP 3.

Vertu

— les vertus du Christ : BCl 9.
— Agnès est parée de vertus : 1 LAg 32 ; 2 LAg 3.8 ; 4 LAg 17.
— l'abbesse est à la tête des autres par ses vertus : RegCl 4, 9 ; TestCl 61.
— la pauvreté rend riche en vertus : RegCl 8, 4.
— les sentiers de la vertu : LEr 3.

Vêtement

— le Seigneur y pourvoit : 1 PrivP 6 ; 2 PrivP 6.
— les vêtements des richesses : 1 LAg 29 ; des vertus : 4 LAg 17.
— l'habit séculier : RegCl 2, 11.17.
— le vêtement religieux : RegCl 2, 17-18 ; doit être vil : RegCl 2, 24.
— et vie commune : RegCl 4, 13.
— rend impossible la lutte : 1 LAg 27.

Vicaire

— l'abbesse et sa vicaire : RegCl 4, 14 ; 5, 5-8.17 ; 7, 3.5 ; 8, 20-21.

Vie

— vie du Christ : RegCl 6, 17 ; TestCl 35.45 ; 1 PrivP 3 ; 2 PrivP 3.
— la vie éternelle : 1 LAg 16.30 ; 2 LAg 23 ; RegCl 8, 5 ; TestCl 71 ; LEr 4 ; livre de vie : 2 LAg 22.
— selon l'évangile : RegCl 6, 3 ; dans la pauvreté : RegCl 6, 8.
— vie et enseignement de François : RegCl 6, 5 ; TestCl 26.34.36.49.
— de Claire : BCl 11 ; d'Agnès : 1 LAg 3 ; 2 LAg 2 ; 3 LAg 41.
— forme de vie : RegCl Prol. ; 1, 1-2 ; 6, 2 ; TestCl 33.
— la vie des sœurs : RegCl Prol. ; 2, 1.5-6.13.20 ; 4, 23 ; TestCl 14.23.56.70.

Vierge

— la Vierge Marie : 1 LAg 24 ; 3 LAg 24 ; RegCl 3, 14 ; TestCl 46.75.77.
— virginité et maternité : 1 LAg 8.19 ; 3 LAg 17.25.
— Agnès d'Assise : 4 LAg 38 ; Agnès de Prague : 1 LAg 1.7.13 ; 2 LAg 18 ; sainte Agnès : 4 LAg 8 ; les autres vierges : 4 LAg 3.

Vigilance

LEr 13.

Visage

— de Dieu : BCl 3-4.

Vision

— voir Dieu : 1 LAg 34 ; 4 LAg 13 ; 1 PrivP 6 ; 2 PrivP 6.

Visite

— Dieu visite : TestCl 10.
— visite des sœurs : RegCl 10, 1 ; 12, 4 ; des malades : RegCl 8, 19.

Vocation

— appel de Dieu : 1 LAg 24 ; 2 LAg 14.17 ; TestCl 17.19.21.
— un bienfait : TestCl 3 ; la reconnaître : TestCl 4.
— vocation de Claire et rôle de François : TestCl 16.

Vœux

— au Très-Haut : 2 LAg 14 ; LEr 8.
— de continence : RegCl 2, 5.
— désirs de Claire : RegCl Prol.

Voie

— du Fils de Dieu : TestCl 5.74 ; 1 PrivP 3 ; 2 PrivP 3.
— des commandements : 2 LAg 15.
— resserrée : 1 LAg 29 ; TestCl 71.
— de la simplicité : TestCl 56.
— route : 2 LAg 14 ; 4 LAg 6.25.
— sentiers de la vertu : LEr 3.

Volonté

— de Dieu : TestCl 30.
— de François : RegCl 6, 6.
— du Cardinal : RegCl 12, 1.
— bonne volonté : RegCl 2, 8 ; volonté spontanée : TestCl 68.
— obéir volontairement : RegCl 6, 1 ; TestCl 25.39.
— renoncer à sa volonté propre : RegCl 10, 2 ; TestCl 67.
Cf. Obéissance.

TABLE DES MATIÈRES

Index

SOURCES CHRÉTIENNES

Fondateurs : H. de Lubac, s.j.
† J. Daniélou, s.j.
C. Mondésert, s.j.
Directeur : D. Bertrand, s.j.
Directeur-adjoint : J.-N. Guinot

Dans la liste qui suit, dite « liste alphabétique », tous les ouvrages sont rangés par nom d'auteur ancien, les numéros précisant pour chacun l'ordre de parution depuis le début de la collection. Pour une information plus complète, on peut se procurer deux autres listes au secrétariat de « Sources Chrétiennes » — 29, rue du Plat, 69002 Lyon (France) — Tél. : 78.37.27.08 :

1. la « liste numérique », qui présente les volumes et leurs auteurs actuels d'après les dates de publication ; elle indique les réimpressions et les ouvrages momentanément épuisés ou dont la réédition est préparée.
2. la « liste thématique », qui présente les volumes d'après les centres d'intérêt et les genres littéraires : exégèse, dogme, histoire, correspondance, apologétique, etc.

LISTE ALPHABÉTIQUE (1-325)

SOUS PRESSE

ISAAC DE L'ÉTOILE : **Sermons**. Tome III. G. Raciti.
PALLADIOS : **Vie de S. Jean Chrysostome**. 2 tomes. A.-M. Malingrey.
EUSÈBE DE CÉSARÉE : **Préparation évangélique**, Livres XIV-XV. É. des Places.
GRÉGOIRE LE GRAND : **Homélies sur Ezéchiel**, tome I. C. Morel.
GRÉGOIRE DE NAZIANZE : **Discours 38-41**. P. Gallay et C. Moreschini.
Les Constitutions apostoliques, tome II. M. Metzger.
LACTANCE : **Institutions divines**, tome I. P. Monat.
ORIGÈNE : **Homélies sur Samuel**. P. Nautin.

PROCHAINES PUBLICATIONS

CÉSAIRE D'ARLES : **Sermons au peuple**, t. III. M.-J. Delage.
TERTULLIEN : **Des Spectacles**. M. Turcan.
JEAN CHRYSOSTOME : **Sur Babylas**. M. Schatkin.
GERTRUDE D'HELFTA : **Œuvres**, tome V. J.-M. Clément, B. de Vregille et les Moniales de Wisques.
Conciles mérovingiens VIᵉ-VIIᵉ siècles. J. Gaudemet.

ÉGALEMENT AUX ÉDITIONS DU CERF

LES ŒUVRES DE PHILON D'ALEXANDRIE

publiées sous la direction de
R. ARNALDEZ, C. MONDÉSERT, J. POUILLOUX.
Texte original et traduction française.

1. **Introduction générale. De opificio mundi.** R. Arnaldez (1961).
2. **Legum allegoriae.** C. Mondésert (1962).
3. **De cherubim.** J. Gorez (1963).
4. **De sacrificiis Abelis et Caini.** A. Méasson (1966).
5. **Quod deterius potiori insidiari soleat.** I. Feuer (1965).
6. **De posteritate Caini.** R. Arnaldez (1972).
7-8. **De gigantibus. Quod Deus sit immutabilis.** A. Mosès (1963).
9. **De agricultura.** J. Pouilloux (1961).
10. **De plantatione.** J. Pouilloux (1963).
11-12. **De ebrietate. De sobrietate.** J. Gorez (1962).
13. **De confusione linguarum.** J.-G. Kahn (1963).
14. **De migratione Abrahami.** J. Cazeaux (1965).
15. **Quis rerum divinarum heres sit.** M. Harl (1966).
16. **De congressu eruditionis gratia.** M. Alexandre (1967).
17. **De fuga et inventione.** E. Starobinski-Safran (1970).
18. **De mutatione nominum.** R. Arnaldez (1964).
19. **De somniis.** P. Savinel (1962).
20. **De Abrahamo.** J. Gorez (1966).
21. **De Iosepho.** J. Laporte (1964).
22. **De vita Mosis.** R. Arnaldez, C. Mondésert, J. Pouilloux, P. Savinel (1967).
23. **De Decalogo.** V. Nikiprowetzky (1965).
24. **De specialibus legibus.** Livres I-II. S. Daniel (1975).
25. **De specialibus legibus.** Livres III-IV. A. Mosès (1970).
26. **De virtutibus.** R. Arnaldez, A.-M. Vérilhac, M.-R. Servel et P. Delobre (1962).
27. **De praemiis et poenis. De exsecrationibus.** A. Beckaert (1961).
28. **Quod omnis probus liber sit.** M. Petit (1974).
29. **De vita contemplativa.** F. Daumas et P. Miquel (1964).
30. **De aeternitate mundi.** R. Arnaldez et J. Pouilloux (1969).
31. **In Flaccum.** A. Pelletier (1967).
32. **Legatio ad Caium.** A. Pelletier (1972).

33. **Quaestiones in Genesim et in Exodum. Fragmenta graeca.** F. Petit (1978).
34 A. **Quaestiones in Genesim**, I-II (e vers. armen.). Ch. Mercier (1979).
34 B. **Quaestiones in Genesim**, III-IV (e vers. armen.). Ch. Mercier et F. Petit (1984).
34 C. **Quaestiones in Exodum**, I-II (e vers. armen.) (en prépar.).
35. **De Providentia**, I-II. M. Hadas-Lebel (1973).
36. **De animalibus**. A. Terian et J. Laporte (en prép.).
37. **Hypothetica**. M. Petit (en prép.).

ACHEVÉ D'IMPRIMER
SUR LES PRESSES DE
L'IMPRIMERIE CHIRAT
42540 ST-JUST-LA-PENDUE
EN NOVEMBRE 1985
DÉPÔT LÉGAL 1985 N° 0571
N° D'ÉDITEUR 8128

IMPRIMÉ EN FRANCE

V.325, C1